Alf Gracie
Schottische Ansichten

kleiner bachmann

Alf Gracie

Schottische Ansichten

Ein Reisebuch

Aus dem Englischen von Felicitas Jung

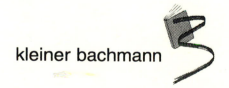

kleiner bachmann

CIP-Einheitsaufnahme:
Gracie, Alf: Schottische Ansichten. Ein Reisebuch.
Aus dem Englischen von Felicitas Jung
Deutsche Erstausgabe
Bensheim: verlag kleiner bachmann, 2001
ISBN 3-933160-16-2

Illustrationen: Olu Oke
Satz: Peter D'Orazio, DTP, Eisingen
Druck: Digital Print, Erlangen
ISBN 3-933160-16-2

Zur Erinnerung an Tutti,
die nur sehr wenige Kartoffeln aß

Inhaltsverzeichnis

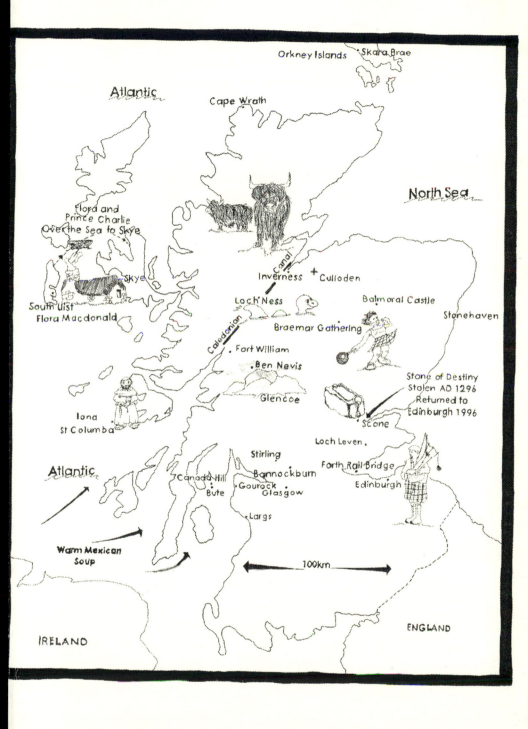

O wad some Pow'r the giftie gie us
To see oursels as others see us.

Robert Burns (1759 – 1796)
„To a louse"

Vorwort

Dieses kleine Reisebuch ist außergewöhnlich insofern, als es dazu gedacht ist, seine Leser zum Schmunzeln, wenn nicht gar zum Lachen zu bringen. Der Autor versucht ihnen eine Kostprobe von Schottland zu geben, in der Gesellschaft von zwei abenteuerlustigen Zwölfjährigen: Susi, auf Besuch aus Deutschland, und Cian, der in Irland geboren wurde, dessen Zuhause jedoch in Edinburgh ist, Schottlands Hauptstadt.

„Ernsthaft" Studierende, besonders Historiker, mögen mit der etwas unernsten Art, in der das geschieht, vielleicht nicht einverstanden sein; aber für sie ist das Buch auch nicht geschrieben worden. Das Ziel ist, weniger Studierte zu unterhalten, seien sie jung oder alt, und ihnen gleichzeitig einen groben Leitfaden durch Vorgeschichte und Geschichte des Landes und die Legenden, Bräuche, die Kultur und die eigenartigen Gewohnheiten seiner fünf Millionen Einwohner zu geben.

Nach den Witzen zu urteilen haben die Schotten ein Geizgen geerbt und sind nicht leicht von ihren Pennies zu trennen. Wenn sie gezwungen werden, sich auch nur von ein paar zu trennen, dann muss es einen zwingenden Grund dafür geben.

Wenn das zutrifft, unterscheiden sie sich nicht sehr von vielen ehrgeizigen Deutschen, die z.B. ihr Geld nie auf frivole Ferien verschwenden; sie gehen auf „Studienreisen". Eine solche Aktivität im Jahre 2000 war die 19. *Summer School* der *Bagpipe Association of Germany* in Breuberg im Odenwald, wo Teilnehmer lernten (und noch lernen; im Jahr 2001 wird die 20. *Summer School* stattfinden), den Dudelsack zu spielen bzw. ihr Spiel zu vervollkommnen, wie auch zu trommeln und zu tanzen.

Susis Eltern erwarteten von ihr nicht, dass sie bei ihrer Rückkehr aus Schottland das Instrument, das die Schotten zu ihrem eigenen gemacht hatten, perfekt spielen würde, aber sie erinnerten sie daran, dass sie eine „Studienreise" machen würde, nicht nur Ferien bloß so zum Spaß. Hoffentlich werden die Leser zu-

9

stimmen, dass sie bei ihren Ausflügen, zu denen ein paar ereignisreiche Tage in den *Highlands* und eine seltene Begegnung dort mit der berühmtesten Einwohnerin des Landes, der trotzigen und einsiedlerischen alten Dame, die normalerweise tief unten in den dunklen Wassern des Loch Ness ihr Wesen treibt, gehörten, beides fertig brachte.

Ferien oder Studienreise?

Es schüttete. Es war sehr, sehr windig. Es war August. Es waren 15 Grad. Es war der Flughafen von Edinburgh.

Und zu denken, dass bloß zwei Stunden früher der Himmel wolkenlos, kein Wind am Flughafen und die Temperatur *zweimal* 15 Grad gewesen war!

Aber das war ein anderer Flughafen, Düsseldorf, wo Susi, passend angezogen mit T-Shirt und Shorts, ein Flugzeug bestieg nach – ihr werdet es euch schon gedacht haben – Edinburgh.

Wie üblich berichtete der Flugkapitän den Passagieren von den Wetterbedingungen, die bei der Landung zu erwarten waren. Er erzählte ihnen auch noch etwas anderes: Weil an der Erweiterung des Flughafens gearbeitet wurde, gab es keinen überdachten Flugsteig für sie. Sie würden zweihundert Meter im Freien gehen müssen (er hätte auch schwimmen sagen können), ehe sie den Schutz des Terminals erreichten.

Nach ein oder zwei Gläsern Wein war der junge Schotte, der neben Susi saß, ziemlich aufgekratzt. Plötzlich, während das Flugzeug in den Landeanflug ging, wandte er sich ihr zu: „Da draußen regnet's Katzen und Hunde."

Um sein beunruhigtes Gemüt nicht noch weiter zu bekümmern, blickte sie hinaus, sah aber offensichtlich weder das eine noch das andere – weder lebendig in der Luft noch tot auf dem Boden, und beschloss, die Bemerkung und den Mann zu ignorieren. In Deutschland sieht man weiße Mäuse. Vielleicht sind es ja in Schottland Katzen und Hunde. Später lernte sie, dass es rosa Elefanten sind.

Als das Flugzeug landete, gab ihr die Stewardess, die sie als unbegleitete Minderjährige eskortierte, rücksichtsvoll einen Schirm, der sich im Wind sofort von innen nach außen umstülpte. Als sie den Terminal erreichte, sah sie aus, als wäre sie gerade dem Rhein entstiegen. Weil sie eine aufgeweckte junge Dame ist, lächelte sie vor sich hin bei dem Gedanken, der ihr durch den Kopf ging.

Als sie Freunden erzählt hatte, dass sie Ferien in Schottland machen würde, hatten ihre Eltern, da sie zur gebildeten Oberschicht gehörten, sie korrigiert. Eines *ihrer* Kinder im reifen, erwachsenen Alter von zwölf, das zum ersten Mal in ein fremdes Land reiste, war auf einer *Studienreise*, nicht in Ferien. Bei Ferien hat man „eine gute Zeit", „a good time", wie die Briten sagen würden, und kommt zurück mit leeren Taschen und einem noch leereren Kopf. Von einer Studienreise kommt man erfrischt zurück, geistig angeregt und mit einem Kopf voll nützlicher und nutzloser Informationen. Um ihren Eltern gegenüber fair zu sein, sie wollten schon, dass sie Spaß hatte, aber nicht bloß die Art, die man bei einer Kirmes oder in Disneyland kriegt. Sie sagte es nicht, aber sie dachte, sie hätten etwas am Kopf. Wie konnte eine Tochter von Intellektuellen bei ihrem ersten Besuch in einem fremden Land *nicht* etwas Neues lernen?
Und hier war sie nun, stieg aus dem Flugzeug, und lernte, oder verlernte, sofort etwas Neues.
Über den Golfstrom und gemäßigte Klimazonen!

In der Schule hatte man ihr von der warmen Suppe erzählt, die 10.000 km weit vom Golf von Mexiko nach England strömt und Wetterbedingungen erzeugt, unter denen Palmen und exotische Pflanzen gedeihen. Sie hatte den Eindruck vom Paradies auf Erden erhalten. Niemand hatte etwas davon gesagt, dass der Golfstrom mit ebenso großer Wahrscheinlichkeit vom Himmel strömen könnte und dass ein „gemäßigtes" Klima bedeutete, dass ein nasser und windiger Sommertag so kalt sein konnte wie ein milder im Winter und dass man, wie immer man sich auch anzog, nie gewinnen konnte.

12

Sie irrte sich. Sie gewann. Ihr Durchnässtsein stellte sich als das Beste heraus, was ihr als Einführung bei der Bell-Familie, und besonders bei Cian (sprich Kie-En), dem jungen Mann in ihrem eigenen Alter, der sich um sie kümmern sollte, hätte passieren können. Sie war für zwei Wochen in Schottland, und er hatte sich nicht gerade darauf gefreut, für so lange Zeit nett zu einem Mädchen zu sein. Er war nicht dagegen, dass Mädchen existierten, solange sie nur wussten, dass sie bloß Adams Rippe waren.

Die kleine ertrunkene Ratte, die in der Abfertigungshalle auf die Bells zukam, bot ein Bild des Jammers. Wasser tropfte von überall, und um den Hals hatte sie das Namensschild, das ein unbegleiteter Minderjähriger zu tragen hat, was sie aussehen ließ wie eine verlassene Waise. Sie hatte einen Schnappschuss von den Bells, und als sie sie erkannte, rannte sie auf sie zu und zeigte gleichzeitig auf ihren schockierenden Zustand.

Dann brach sie in Lachen aus.

Für die Bells, und vor allem für Cian, war dies der Moment, in dem sie wussten, dass der Besuch ein voller Erfolg sein würde. Ein Mädchen in diesem Zustand, das über sich selbst lachen konnte, musste ein Kumpel sein, und als solcher erwies sie sich auch.

Der Katzen- und Hundemann ging vorbei und Susi erzählte ihnen, was er gesagt hatte. Sie war erstaunt, dass die Bells ihm Recht zu geben schienen, und sie wurde ein bisschen unruhig, was die geistige Klarheit ihrer Gastfamilie anging.

Der Regen wollte einfach nicht aufhören.

„Ist das überall so?", fragte Susi.

„Wahrscheinlich nicht", sagte Cians Mam mit einem Lächeln. „Weiter nördlich auf den Orkney- und Shetland-Inseln wird es wohl windiger und eine ganze Menge kälter sein."

Nachdem sie etwas über den Golfstrom erfahren hatte, lernte Susi rasch noch etwas anderes, als sie zum Zuhause der Bells gefahren wurde. Sie wusste schon, dass die Briten auf der falschen Straßenseite fahren, aber sie hatte nicht gewusst, warum. Jetzt war es klar. Die Lenkräder sind auf der falschen Autoseite. Man sollte annehmen, dass sie vielleicht von den Schweden gelernt hätten. Es ist erst etwa dreißig Jahre her, dass die auf der falschen Seite gefahren sind, und jetzt tun sie es nicht mehr. Sie haben das Lenkrad geändert.

Um das junge Volk dem Leser und einander vorzustellen, Susi ist aus Frankfurt und deutsch durch und durch, obwohl sie zweisprachig ist. Ihre Eltern unterrichten beide Englisch, und ihr Vater spricht nur in Englisch mit ihr, wenn sie beide allein sind, worauf sie, natürlich, in Englisch antwortet. Ihre Mutter tut dasselbe in Deutsch. Wenn sie alle drei zusammen sind, findet die Unterhaltung in der Sprache statt, in der sie angefangen hat.

Es gibt vier Teile von Cian, aber man kann die Verbindungsglieder nicht sehen. Er hat irische und schottische Großväter und englische und deutsche Großmütter. Sein Papa ist irisch-englisch und seine Mama schottisch-deutsch.

Es kann manchmal ein bisschen verwirrend sein. Cians Papa, der in Nordirland geboren wurde, das britisch ist, ist gleichzeitig Ire und hat Pässe für beide Länder, um es zu beweisen. Cian, der in Dublin geboren wurde, Hauptstadt der Irischen Republik, betrachtet sich gern als Iren, obwohl er auch Brite ist. Auch er hat Pässe für beide Länder.

Er spielt Fußball, aber er ist nicht gerade ein Beckenbauer. Wer wird das schon jemals, sagt Cians schottischer Opa, ein großer Bewunderer des „coolen" und eleganten „Kaisers". Sollte Cian diesem Maßstab irgendwie nahe kommen, dann könnte er für England, Schottland, Nordirland, die Irische Republik oder Deutschland spielen. Sogar für Polen, weil seine deutsche Oma in Ostpreußen geboren wurde. Er sagt, dass er „aus Loyalität" für die Irische Republik spielen würde, woraus man schließen kann, dass er weiß, dass sie nicht gerade das beste Team sind.

Die Familie Bell wohnt jetzt in Edinburgh, Schottlands Hauptstadt, die eine halbe Million Einwohner hat, etwas weniger als Frankfurt. Cians Mama hat Deutsch studiert, und sein Papa spricht es ganz gut.

Cian hat Deutsch in der Schule und ist darin gar nicht mal so schlecht, obwohl er ein paar Probleme hat. In einem Aufsatz hat er mal gesagt, er möchte Würstchen mit Schlagsahne, gefolgt von Schwarzwälderkirschtorte mit Mayo. Seine Lehrerin schrieb damals, es wäre nichts falsch an seinem Satzbau, sie würde aber nicht mit ihm Mittag essen gehen.

Was Susi und Cian helfen sollte, miteinander auszukommen, ist eine starke Blutsverwandtschaft. Die Oma von Cians deutscher Oma hatte einen Cousin, der einen Sohn hatte, der eine Tochter hatte, die einen Sohn hatte, dessen Tochter Susi ist.

Es war, als sie über diese Verwandtschaft sprachen, dass Cians Mama Susis Problem mit dem Katzen- und Hundemann erkannte. Ihre deutsche Mama sagte immer, der Regen falle wie Strippen, bis sie herausfand, dass er das in Schottland nicht tat. Dort fällt er in Form von Katzen und Hunden. Susi war erleichtert, das zu hören.

Cian brauchte nicht lange, um herauszufinden, dass Susi auf einer Studienreise war, nicht in Ferien. Am ersten Abend, als er sie fragte, ob sie gerne ein Buch neben ihrem Bett haben wollte, sagte sie, sie hätte gerne ein Buch über schottische Geschichte. Sie hielt ein Schulbuch für das Passende.

Noch nie in seinem langen Leben hatte Cian gehört, dass irgendjemand Ferien mit der Bitte nach einem Schulbuch anfing. Versuchte sie, sich für irgendetwas zu bestrafen, oder machte sie Witze? Er hatte den schleichenden Verdacht, dass sie weder das eine noch das andere tat. Obwohl er kaum eine Vorstellung davon hatte, wie das deutsche Bewusstsein funktionierte, wusste er doch, dass seine deutsche Oma, die er sehr, sehr lieb gehabt hatte, in einer ganz ähnlichen Weise ein bisschen eigenartig sein konnte, und sie hatte es noch nicht einmal bemerkt. Tatsächlich hatte sie die anderen für eigenartig gehalten.

Seine Großeltern hatten in unterschiedlichen Orten in Großbritannien gelebt, und jedes Mal, wenn sie umzogen, musste seine Oma alles über ortsansässige Dichter, Schriftsteller, Künstler oder Musiker, frühere oder gegenwärtige, herausfinden. Sie hörte nie auf, erstaunt zu sein darüber, dass die Leute am Ort nicht dasselbe Interesse hatten. Sie schienen sich kaum etwas daraus zu machen, dass ein Genie in ihrer Mitte gewesen war oder auch gerade im Augenblick unter ihnen weilte. Einmal sah sie eine Plakette an einem Gebäude, die feststellte, dass der Dichter John Smith hier 1889 geboren wurde. Sie war geschockt, festzustellen, dass der Ladenbesitzer nebenan nicht die geringste Vorstellung besaß, wer John war, und die Plakette noch nicht einmal bemerkt hatte.

Cian schlug nicht nach seiner Oma, und, was das anging, auch Susi nicht. Für ihn waren Ferien Ferien. Sie waren dazu da, eine gute Zeit zu haben. Er hatte nichts dagegen, etwas über die Leute und ihre Geschichte zu lernen, vorausgesetzt, es ging ohne Schaden über ihn hinweg, während er seinen Spaß hatte, aber die Informationen absichtlich herauszusuchen – nein danke! Und ganz bestimmt nicht aus einem Schulbuch. Er hatte eine Geschichtslehrerin, die es fertig gebracht hatte, ihm eine intensive Abneigung gegen das Thema einzuflößen. Sie brachte es nie zum Leben und für sie schien die Kenntnis der exakten Daten der Ereignisse wichtiger als die Ereignisse selbst. Wenn man ein paar falsche Datumsangaben in einem sonst ausgezeichneten Aufsatz hatte, pflegten sie stark rot unterstrichen zu sein, ohne Erwähnung, wie gut die Arbeit war.

Susi bekam ihr Geschichtsbuch, und merkwürdigerweise entdeckte Cian, dass es ihm Spaß machte, einige ihrer Fragen zu beantworten, mit ein bisschen Hilfe von seinem Papa. Das Geschichtsbuch sagte ihr nichts über das Schottland von heute, und das war das Erste, was sie wissen wollte.

Großbritannien (GB) besteht aus England, Schottland und Wales. Zusammen mit Nordirland sind sie das Vereinigte Königreich (UK). Jahrhundertelang schloss das UK ganz Irland ein, aber 1937, nach zahllosen bewaffneten Aufständen, wurde der größte Teil davon zur Republik Irland, ein Land, das für Großbritannien so fremd ist wie Deutschland.

Die katholischen Iren hatten ihre ganze Insel zurück haben wollen, aber in einem nur happengroßen Stückchen im Nordosten sind die Hälfte der 1,5 Millionen Einwohner Protestanten, meistenteils schottischer Herkunft. Im 17. Jahrhundert war ihren Vorfahren dort ertragreiches Ackerland geschenkt worden, um die Iren zu „zivilisieren". Diese Leute wollten nicht zu einer irischen Republik gehören, sodass der Bissen britisch blieb und den Namen Nordirland erhielt.

Unglücklicherweise wollen die katholischen Iren in Nordirland vollkommene Freiheit von Großbritannien, und daher sind in den vergangenen dreißig Jahren 3.500 Menschen von Katholiken ermordet worden, die aus dem UK heraus, und von Protestanten, die drin bleiben wollen.

Obwohl die Politiker in der Irischen Republik diese Handlungen verurteilen, wollen sie auch, dass ganz Irland irisch ist. Sie reden oder schreiben nie von Nordirland, sondern vom „Norden Irlands". Das ist der Grund, warum die, die dort geboren werden, obwohl sie gesetzlich Briten sind, auch irische Pässe erhalten, wenn sie sie verwenden.

Zwei Pässe sind nützlich, sagt Cian. Wenn man meint, man werde als irischer Mensch besser aufgenommen, wird der irische Pass benutzt, und umgekehrt.

Um wieder auf die Gegenwart zu kommen, 1999 wurde, nach 300 Jahren, das schottische Parlament wieder errichtet, aber da Schottland immer noch britisch ist, ist das Parlament wie das eines deutschen Bundeslandes und spielt keine Rolle bei Entscheidungen wie Verteidigungs- oder Außenpolitik. Einen Teil der Sitze nehmen jedoch schottische Nationalisten ein, und falls *die* jemals eine Mehrheit bekommen, was sie ihrer Ansicht nach werden, dann werden sie volle Unabhängigkeit wollen.

Falls sie sie bekommen, kann es sein, dass das, was vom UK übrig ist, ein ernsthaftes Problem damit haben kann, eine kompetente Regierung zu finden. Zurzeit sind beinahe 50 Millionen der Bevölkerung des UK englisch, vier Millionen walisisch oder irisch und fünf Millionen schottisch. Die Parlamentsmitglieder entsprechen dem proportional, sodass nur ungefähr zehn Prozent von ihnen Schotten sind.

Trotz dieser Tatsache ist in der Labour-Regierung des Jahres 2001 der Außenminister Schotte, der Finanzminister ist Schotte, der Verkehrsminister ist Schotte, der Sozialminister ist Schotte, und der Premierminister hat in Schottland seine gesamte Schulzeit verbracht.

Ein sehr wichtiger Posten im Unterhaus ist der des *Speaker* oder Sprechers, der ebenfalls Schotte ist. Der Speaker ist das parlamentarische Pendant zum Schiedsrichter bei einem Fußballspiel. Er oder sie kontrolliert die Debatten im Parlament und sorgt dafür, dass das Spiel nach den Regeln gespielt wird. Wenn irgendein Mitglied, eingeschlossen der Premierminister, die Regeln bricht, wird es verwarnt, und wenn es damit fortfährt, wird es angewiesen, das Haus zu verlassen. Obwohl der Speaker zu einer der politischen Parteien gehört, wird er von Mitgliedern aller Parteien für diesen Posten gewählt, wegen seiner Weisheit und Unparteiischkeit.

Und so haben die Schotten, trotz ihrer kleinen Anzahl im Parlament, dort die wichtigsten Posten inne. Wenn sie die Unabhängigkeit erhalten, wird dann das UK es notwendig finden, schottische Männer oder Frauen zu importieren, um ihr Land zu regieren?

Mit dieser kurzen Geschichtslektion gingen sie alle zu Bett.

Susi war sich der Tatsache nicht bewusst, aber dreißig Jahre früher würde sie beinahe mit Sicherheit unter einer oder mehreren schweren wollenen Decken geschlafen haben, die Sandwich-artig zwischen zwei leichte Baumwolllaken gelegt waren. Das obere Laken ist für gewöhnlich gemustert, und als Cians Oma aus Deutschland und zum ersten Mal nach Schottland kam, schrieb sie ihrer Mutter, die Schotten legten Tischtücher auf ihre Betten. Die Briten entdeckten den Komfort von Federbetten nach Urlaubsreisen ins Ausland, und heute benutzen nur noch die älteren Leute weiter solche Decken.

Als die Federbetten am Anfang eingeführt wurden, nahmen nicht einmal die größeren Geschäfte sie auf Lager. Sie mussten extra angefertigt werden, und ein Berater wurde eingestellt, der

19

dafür zu sorgen hatte, dass das Federbett auch auf das Bett passte. Als Cians Oma ein neues Federbett für ein Einzelbett bestel-
len ging, drei Fuß (90 Zentimeter) breit, sagte der Experte, das
wäre dann wohl auch die Breite des Federbetts. Oma nahm diesen Rat nicht an und sah im Geiste jene Leute vor sich, die ihm
gefolgt waren und mit auf den Körper getürmten Federbetten
dalagen und sich dabei fragten, was wohl schiefgegangen war.

Sowohl Susi als auch Cian schliefen gut. Sie dachten, dass
sie sich mögen würden.

Seltsame Essgewohnheiten

Am Morgen stand Susi auf, duschte und kam herunter zu einem „vollen schottischen Frühstück", wie es die Hotelbroschüren beschreiben. In England und in der Irischen Republik ist es ein „volles englisches Frühstück" oder ein „volles irisches Frühstück".

Die nordirischen Protestanten schottischer Herkunft, deren Ur-ur-urgroßeltern in Irland geboren wurden, bezeichnen sich immer noch nicht als „irisch". Sie vermeiden das Wort, indem sie sagen, sie seien *Ulstermen*, Leute aus Ulster, nach Ulster, einer der vier irischen Provinzen. Das gestattet es ihnen, das Frühstück „Ulster Fry" zu nennen.

Abgesehen von geringfügigen Variationen ist die Mahlzeit die gleiche, ungeachtet ihres Namens. Heutzutage wird sie selten zu Hause aufgetischt, außer wenn Besucher aus dem Ausland da sind, die „Die Erfahrung" machen müssen. In diesem Fall sollte das Susi sein.

Es sollte vorher gewarnt werden, dass die Schotten so ziemlich die höchste Todesrate durch Herzkrankheiten und Schlaganfälle in Europa haben. Sie braten und frittieren, in Öl oder Fett, in Topf oder Pfanne, so gut wie alles. Salz wird mit einer Schaufel auf das Essen getan, und das Brot ist wenig mehr als ein essbarer Teller, auf den Butter gehäuft und damit verzehrt wird.

Es war eigentlich geplant, die Nahrungsmittel, die alle gebraten werden, in einem Anhang zu diesem Buch aufzulisten, aber als der Verleger die Liste sah, sagte er, er könnte keinen Anhang machen, der länger wäre als das Buch selbst. Er schlug vor, eine Liste der Nahrungsmittel, die *nicht* gebraten werden, wäre wohl kürzer, – und bemerkte dann, dass sogar Marsriegel gebraten werden. Es stimmt tatsächlich; sie werden auf dieselbe Weise wie Fisch in Schmalz getunkt und frittiert.

Er entschied dann, es wäre überhaupt keine Liste sicher. Jeder, der so genial war, das einem Mars anzutun, könnte auch schon einen Weg gefunden haben, es mit Joghurt zu machen.

Falls nachgewiesen wird, dass das In-Fett-braten von Lebensmitteln in Schottland ein Gesundheitsrisiko ist, dann könnte Italien in ernsthaften Schwierigkeiten sein. Vor ungefähr hundert Jahren gingen viele seiner Einwohner nach Schottland, ebenso wie nach Deutschland, um Eiskrem zu machen und zu verkaufen. Sie entdeckten schon bald, dass im Winter kein großes Geschäft zu machen war, und viele wandten sich in diesen Monaten *fish and chips*[1] zu und dann später auch das ganze Jahr über. Falls eine Verbindung zwischen dieser Delikatesse und den Herzerkrankungen hergestellt werden kann, dann könnte Italien von den Schotten vor dem Europäischen Gerichtshof auf Schadensersatz verklagt werden.

Susis Mama hatte ihr beigebracht, wenn sie auf Besuch wäre, müsste sie alles essen, was auf ihren Teller gelegt würde. Sie konnte andeuten, dass sie es nicht noch einmal wollte, indem sie nach dem Essen nichts sagte, außer ihrer Gastgeberin zu danken. Sie fragte sich, was ihre Mama, die stets auf ihr Gewicht achtete und sich der zerstörerischen Macht gesättigten Fetts bewusst war, wohl mit einem vollen schottischen Frühstück gemacht haben würde. Hätte sie wohl ein frittiertes Mars gegessen?

Was sie selbst anging, so aß sie ihr Frühstück und genoss es: gebratenen Speck, gebratene Wurst, gebratene Blutwurst, gebratene Tomate, gebratene Eier, gebratene Kartoffelkuchen und gebratenes weißes Brot. Ganz zu schweigen vom Porridge und der Milch, die davor kamen, und dem Toast und der Orangenmarmelade, die folgten. Vielleicht nicht jeden Tag oder jede Woche oder auch nur jeden Monat, aber sie konnte jedenfalls nicht sehen, wie eine gelegentliche Begegnung mit einem vollen schottischen Frühstück sie in ein frühes Grab senden könnte.

Ist das alles?

Sie und Cian hatten vor, in die Stadt zu schlendern, aber ehe sie dort hingingen, hatte Susi noch eine Frage. Konnten sie wohl in die Bücherei gehen, um ein Buch über das prähistorische Schottland auszuleihen? Das Buch aus der Schule sagte ihr gar nichts darüber. Cian machte das sehr gerne. Als er im Bett lag, war ihm klar geworden, dass dies ein sehr schmerzloser Weg war, um seine Geschichtskenntnisse aufzufrischen und vielleicht zu bewirken, dass es in der Schule weniger langweilig war.

Sie gingen los in Richtung Bücherei und Stadt. Die Bells wohnen in einem großen grauen Sandstein-Reihenhaus, das über hundert Jahre alt ist, etwa dreißig Minuten zu Fuß vom Stadtzentrum entfernt. *Spätviktorianisch* ist die Bezeichnung, die für die Zeit um 1875/1900 herum verwendet wird. Überall sind ähnliche Häuser und Villen, und ein bisschen näher an die Stadt heran Straßen um Straßen von ganzen Wohnblocks gleichen Alters. Da es damals keine Autos gab, gab es auch keine Garagen, und heute ist auch gar kein Platz für sie da, sodass Autos überall dicht an dicht geparkt sind.

Auf den Dächern der Wohnblocks sind riesige Wälder von Schornsteinköpfen, von denen keiner raucht. „Wozu um alles in der Welt sind die da?", wollte Susi wissen. Cian war entzückt, dass er die Antwort wusste: Er hatte vor ein paar Wochen gehört, wie sein Opa es Besuchern vom Kontinent erklärte.

Als die Häuser gebaut wurden, hatte jedes Zimmer einen offenen Kamin in einer Wand und jeder Kamin hatte seinen eigenen „privaten" Schornstein aus Ziegeln, der zum Dach hinauf führte und von etwas gekrönt wurde, was für Susi wie ein hoher Blumentopf aussah. Wenn ein Schornstein gefegt wurde, benutzte der Schornsteinfeger den Blumentopf und seine Verlängerung als Sprachrohr, um sich mit seinem Gehilfen in dem weit darunter gelegenen Raum zu verständigen. Eine Wohnung mit drei Schlafzimmern, Esszimmer, Wohnzimmer und Küche besaß sechs Kamine, sechs Ziegelschornsteine und sechs Schornsteinköpfe auf dem Dach. In deutschen Wohnungen aus dieser Zeit gab es gusseiserne und Kachelöfen, die an einen einzigen Schornstein angeschlossen waren.

Susi und Cian nahmen eine schnelle Schätzung vor. Schließlich war es ja eine Studienreise. Sie waren auf einer zweihundert Meter langen Straße mit Wohnungen auf beiden Seiten, und es gab ungefähr zweihundert Wohnungen und damit über tausend Schornsteine. Traditionellerweise rutscht am Weihnachtsabend der Weihnachtsmann, Santa Claus, jeden Kamin, der in ein Kinderzimmer führt, mit Geschenken hinunter. Er weiß, welchen, und auch, was für Geschenke er mitnehmen sollte, denn bevor das Kind in der betreffenden Wohnung zu Bett gegangen ist, hat es das Sprachrohr benutzt. Santa Claus hört es, auch wenn er noch immer weit weg im Himmel ist mit seiner Kutsche und mit seinen Rentieren.

In den 1960er-Jahren hatten die Schotten Glück und entdeckten große Ozeane an Öl und Gas in den Felsen unter dem Meer vor der Nordostküste. Jetzt werden beinahe alle von diesen Wohnungen zentral mit diesem Gas beheizt, obwohl einige Mieter immer noch ein offenes Kohlenfeuer im Wohnzimmer haben, der „Atmosphäre" wegen.

Viele der Straßen haben Kopfsteinpflaster und werden ewig halten. Sie sind gut dafür, Auto- und Motorradfahrer daran zu hindern, schnell zu fahren, und müssen unter den letzten gewesen sein, die gepflastert wurden, schon gut ins Teermacadam-Zeitalter hinein, welches seinen Namen von einem Schotten hat, John McAdam, der den Teer vor beinahe zweihundert Jahren erfand.

Sie stoppten bei der Bücherei und holten sich mit Cians Mitgliedskarte ein Buch über Schottlands Frühgeschichte. Sobald sie weggegangen warn, sahen sie Leute Golf spielen.

„Ein Golfplatz, nur fünfzehn Minuten zu Fuß vom Stadtzentrum entfernt?"

„Ja, und es kostet nichts, dort zu spielen."

Er wurde den Bürgern vor langer Zeit von einem wohlhabenden Herrn vermacht und wird vom Magistrat der Stadt instandgehalten. Jeder kann auf dem spielen, was wahrscheinlich der einzige kostenlose Golfplatz der Welt ist. Es ist kein großer Golfplatz; die Entfernung vom Tee[2] bis zum Loch beträgt keine hundert Meter, aber es macht Spaß, und es ist ein guter Platz zum Lernen.

Schottland ist die Mutter des Golfs. Er wurde dort bereits vor mindestens fünfhundert Jahren gespielt. Ob man es glaubt oder nicht, es gibt dreißig große Golfplätze innerhalb der Stadt oder doch in nächster Nähe. Die meisten sind privat, aber mehrere sind öffentlich, und jeder kann für einen vernünftigen Preis dort spielen.

Sie gingen weiter über das Gelände des Golfplatzes und auf die Altstadt zu. Es gibt zwei Edinburghs, das alte und das neue. Wie New York hat auch Edinburgh seine Wolkenkratzer, aber diese hier wurden vor mehreren hundert Jahren gebaut, vierzehnstöckige Wohnblocks in der Altstadt, lange bevor es Wasseranschluss gab und mit unbeleuchteten Wendeltreppen. Einige alte Blocks mit acht Stockwerken existieren noch. Im späten achtzehnten Jahrhundert wurde die Neustadt sorgfältig geplant, und sie ist geräumig und außerordentlich beeindruckend.

Sie waren jetzt unter den Touristen, und eine Gruppe, die im Halbkreis stand und nach innen sah, blockierte das Straßenpflaster. Alle schauten nach innen, offensichtlich an etwas interessiert, das Susi nicht sehen konnte. Es war das beliebte, lebensgroße Denkmal von Greyfriars Bobby.

Bobby, ein struppiger kleiner Skye-Terrier, war zwei Jahre alt, als sein Herr 1858 starb. Er folgte dem Trauerzug bis zum Friedhof an der Greyfriars-Kirche und blieb beim Grab oder in seiner Nähe, bis er selbst starb, vierzehn Jahre später. Das Denkmal wurde ein Jahr danach errichtet. Ein amerikanischer Präsident sagte einmal, frei wiedergegeben: „Du kannst allen Menschen einige Zeit gefallen, und einigen Leuten die ganze Zeit, aber du kannst nicht allen Menschen die ganze Zeit über gefallen." Bobbys Denkmal widerlegt das, es wärmt jedermann das Herz, jederzeit.

Sie brachten jemanden dazu, einen Schnappschuss von ihnen mit Bobby zu machen, und gingen weiter. Sie waren ganz in der Nähe des Schlosses, und es gab einen plötzlichen lauten Knall – „Wie Kanonenfeuer", sagte Susi. Er verwirrte sie und die meisten anderen, aber einige schauten bloß auf ihre Uhren.

Es *war* Kanonenfeuer. Es war die Ein-Uhr-Kanone beim Schloss. Ungefähr um 1860 machte Edinburgh Paris nach, indem es einmal am Tag eine Kanone abfeuerte, um die Bürger die Zeit wissen zu lassen, und das ist seitdem immer so gemacht worden. Es ist natürlich keine Notwendigkeit mehr, bloß noch Tradition.

In der britischen Armee gibt es, wenn Truppen lagern, einen Signalruf „Kommt zur Küchentür", der jedem mitteilt, dass das Essen fertig ist. Bobby wurde jeden Tag von einem Gastwirt in der Nähe des Friedhofs gefüttert, und die Ein-Uhr-Kanone wurde sein Signalruf. Wenn er sie hörte, setzte er sich in Trab zum Essen.

Treuester Hund der Welt

27

Essen oder treten?

Zwei Minuten von Greyfriars, und man ist im Herzen der Altstadt, auf der mittelalterlichen *Royal Mile*, der königlichen Meile, die in gerader Linie, breit und schmal, vom Schloss herunter bis zu den Ruinen von Holyrood Abbey und dem großartigen Palast von Holyroodhouse verläuft. Der erste von vielen interessanten Orten, den Susi und Cian sehen, ist das Schriftstellermuseum, das sich vor allem mit Robert Louis Stevenson, Sir Walter Scott und Robert (Robbie) Burns beschäftigt.

Es war Stevenson, der *Die Schatzinsel* und *Dr. Jekyll und Mr. Hyde* schrieb. Scott war Schottlands Goethe und lebte zur selben Zeit. Er wurde in der Schule sehr stark gelesen, sagt Cians Opa, der sich an aufregende sechsseitige, bis ins Kleinste gehende Beschreibungen des Mobiliars in einem Speisezimmer erinnert. Auf Edinburghs „Kurfürstendamm", der *Princes Street* in der Neustadt, befindet sich das höchste Monument der Welt, das einen Schriftsteller ehrt: das *Scott Monument*.

Robert Burns war ein Bauernsohn, geboren 1759. Er besaß sehr wenig Schulbildung. Er war ein Dichter des Volkes, der über die Leute und für sie in ihrer Sprache schrieb, einer Mischung aus Schottisch und Englisch, die beide von den Angeln stammen. Er schrieb über Liebe, Ehre, Neid, Habgier, Scheinheiligkeit, Freundschaft, falschen Stolz und vieles andere. Er ist auf der ganzen Welt bekannt (oder sollte es sein) als Verfasser von *Auld Lang Syne*, und sein Geburtstag am 25. Januar wird überall, wo Leute schottischer Herkunft leben, einschließlich Russland, bei Festmählern gefeiert, die als *Burns' Suppers* bekannt sind.

Das Essen hat eine unveränderliche Form. Wenn die Gäste sich zur Mahlzeit am Tisch befinden, wird feierlich ein Haggis auf einem Silbertablett hereingetragen, begleitet von Dudelsackmusik, und vor den Mann hingestellt, der die Ehre hat, Burns' *Ansprache an das Haggis* zu verlesen. Während er das – mit sehr viel Gefühl – tut, stößt er sein Messer in das dampfende Tier, welches dann von den Gästen verschlungen wird. Whisky fließt großzügig, und es werden mehrere Reden gehalten, die den Dichter und seine Liebe zu den Damen ehren.

Ohne Burns wäre das Haggis ausgestorben, aber jetzt wird es millionenfach gezüchtet, von den Touristen gepriesen und zu *Burns' Suppers* um die ganze Welt geschickt. Es ist ein großes Geschäft, – aber was genau ist es?

Traurigerweise besitzt es kein eigenes Leben. Es ist das Roastbeef des armen Mannes und wird am besten durch seine Wörterbuchdefinition beschrieben: „Ein schottisches Gericht, gemacht aus Herz, Lungen, Leber, Fett etc., gewürzt mit Zwiebeln, Hafermehl usw., gekocht in einem Schafmagen." Es gibt keinen Hinweis darauf, was das „etc." bedeutet oder ob der Magen noch in dem Schaf ist, wenn er gekocht wird.

Das Gesetz verlangt, dass bei Fertigspeisen die Zutaten auf der Verpackung aufgelistet werden. Die meisten Haggis-Hersteller sind ehrlich und halten sich eng an die Wörterbuchdefinition, aber es gibt einen cleveren in Edinburgh, der einen Weg um das Problem herum gefunden hat, wie er den Konsumenten sagen soll, dass sie die Etceteras eines Tieres essen. Dieser Hersteller hat entschieden, dass die verschiedenen Bestandteile Fleisch sind, und so haben seine Haggis keine Etceteras, nur Lamm- und Rindfleisch. Das ist viel appetitanregender.

Es gibt massenhaft komische Bildpostkarten von dem grotesken, kleinen, übergewichtigen, knuddeligen und harmlosen Tier. Eine davon zeigt es mit kurzen linken Beinen, die es ihm ermöglichen, um Steilhänge herumzulaufen, ohne sich zu überschlagen und in den sichern Tod zu stürzen.

Es gibt auch Witze. Einer geht so: Wenn du ein Haggis siehst, weißt du nicht, ob du es essen oder ihm einen Tritt verpassen sollst, und wenn du es isst, dann wünschst du dir, du hättest es getreten. Cian geht kein Risiko ein; er gibt ihm stets einen Tritt.

Ein männliches Haggis – weibliche sind sogar noch schöner

Gardy Loo

Vor dem Museum schauen Susi und Cian die antiken Hochhaus-Wohnungen an. Sie sind restauriert worden und werden bewohnt, aber es gibt keine Aufzüge. Der Zugang erfolgt über eine Wendeltreppe.

Was immer schottische Kinder an Geschichte vergessen haben, sie alle erinnern sich an „Gardy Loo", eine Verballhornung des französischen „Gardez l'eau", was sich mit „Achtung, Wasser!" übersetzen lässt. Französisch war zu jener Zeit unter der Mittelschicht weit verbreitet.

Als die Wohnungen gebaut wurden, bestand die primitive Methode, den menschlichen Abfall und den Haushaltsmüll loszuwerden, darin, ihn aus einem Eimer auf die Straße zu kippen. In den Wolkenkratzern machte die Hausfrau oder das Mädchen das, indem sie den Eimer aus dem Fenster kippte, nach einem warnenden Zuruf „Gardy Loo" an jeden, der zufällig vorbeiging. Es ist nicht schwer, sich vorzustellen, wie ein gehetztes Hausmädchen oder eine Hausfrau gleichzeitig den Eimer leert und ruft, oder auch vergisst zu rufen.

Ein wenig weiter abwärts auf der *Royal Mile* liegt *St. Giles Protestant Cathedral*. Dort war es, wo John Knox, der kalvinistische Gründer der schottischen presbyterianischen Kirche, 1550 A.D. nach der Reformation predigte. Die Presbyterianer glauben, eine Kirche sollte von ihren Mitgliedern regiert werden, nicht von Päpsten, Erzbischöfen, Bischöfen usw. Klingt wie eine gute Idee.

Unglücklicherweise nahmen Knox und seine Jünger die Bibel wörtlich, und jeder, der das nicht tat, wie etwa die Römisch-Katholischen, sündigte. „Arbeite sechs Tage und arbeite nicht am siebenten" hieß genau das, was es besagte. Es gibt immer noch Leute in Nordschottland, die sonntags das Haus nur verlassen, um in die Kirche zu gehen, die ihre Vorhänge nicht aufziehen, kein Hemd bügeln, nichts zu essen kochen und auch kein Geschirr spülen. Wenn etwas gelesen wird, dann nur aus der Bibel. Fernsehen oder Radio? Eine Todsünde. Es gibt Inseln, wo es sonntags keinen Fährdienst und keinen Flugverkehr gibt.

Cians Oma pflegte zu sagen, Knox hätte ein elftes Gebot für Kinder geschrieben: Am Sabbath sollst du nicht lächeln, lachen oder Spaß haben.

Vor noch nicht allzu vielen Jahren waren es nicht nur die frömmsten Protestanten, die das für richtig hielten. Sie blieben sonntags nicht hinter verschlossenen Türen, aber wenn sie im Park spazieren gingen, dann nur, um zu gehen; kein Laufen, Springen, Hüpfen, Werfen, spielerisches Kämpfen, Rufen, Singen, Lachen. In der Tat nichts außer Gehen.

Die einzigen Leute, die man den Sabbath entheiligen sah, waren die Katholiken, die zu denken schienen, dass sie alles tun könnten, nachdem sie in der Messe gewesen waren, wie etwa Fußball spielen und Fahrrad fahren.

Die Behörden hielten das elfte Gebot ebenfalls ein. Alle Schaukeln und Karussells in den Parks wurden samstags fest angekettet und nicht vor Montagmorgen wieder aufgesperrt. Cians Opa hat einen Freund, der sonntags nicht pfeifen durfte, und er kennt eine Dame, die als Kind nicht stricken oder nähen konnte. Sie ist sich nicht sicher, ob das so war, weil sie arbeitete oder sich amüsierte, oder beide Sünden beging.

Knox muss sich in seinem Grab umdrehen. Das Pendel ist zur anderen Seite hin ausgeschlagen. Mitten in seinem Schwung hatten Familien sonntags Spaß; in den Parks, auf ihren Fahrrädern, am Strand. Heute, am entgegengesetzten Höhepunkt, gehen Sonntagsausflüge in ein Einkaufszentrum, wo alle Geschäfte offen sind und jeder dann Spaß beim Einkaufen hat. Gottseidank folgen sie Knox immer noch in einer Hinsicht: sie kochen nicht. Sie nehmen bei McDonald's doppelte Cheeseburger und Cola zu sich.

Kein Ohr für Musik

Susi und Cian gehen die Royal Mile weiter hinunter. Sie sind kaum außer Sicht- und Hörweite *eines* Dudelsackpfeifers im Kilt, wenn sie auch schon den nächsten sehen und hören. Alle haben Mützen vor den Füßen, um Geld zu sammeln, aber sie sind viel mehr als nur Straßenmusikanten. Sie sind stolze Schotten, und die Touristen bewundern sie dafür.

Es gibt zwei Arten von Dudelsackpfeifern; diejenigen, die tadellos in volles *Highland*³-Ornat gekleidet sind, und die großen, wilden haarigen, die Kilts tragen und nicht viel sonst. Die jungen Leute gehen an einem Riesen der zweiten Art vorbei, mit einem Schopf Haare, der den halben Rücken hinunter wallt, und mit passendem Bart. „Wie fändest du es, von zweitausend wie ihm einen Abhang hinuntergejagt zu werden?", fragte Cian.

Susi zog eine Grimasse und schauderte.

Die Schotten in ihren *Tartan*⁴-Kilts waren im Kampf gefürchtet, und wenn sie von einem Pfeifer begleitet wurden, wurden sie zu noch größerer Wildheit angestachelt. Nachdem Schottland 1707 ein Teil Großbritanniens geworden war, stellte die Armee Regimenter von Hochländern auf, um die Ungezügelten daheim zu kontrollieren und Feinde im Ausland zu Tode zu ängstigen. Diese Regimenter waren – und sind es immer noch – ohne Pfeifer nicht vollständig.

„Bonnie Prince Charlie" (von ihm später mehr), der in Italien geboren wurde und sein Leben dort verbrachte, glaubte, sein ins Exil gezwungener schottischer Vater hätte Großbritanniens König werden sollen, und ging nach Schottland, um eine Rebellenarmee von Hochländern aufzustellen. Bis dahin hatte er niemals Hochlandkleidung getragen, aber er tat es, um seine Truppen in den Kampf zu führen. Seine Armee wurde 1746 geschlagen, wonach ein Parlamentsbeschluss Hochlandkleidung und Dudelsäcke untersagte. Der Bann wurde nach vierzig Jahren aufgehoben, aber es war der Beschluss, welcher alle Schotten widerspenstig machte. Der Kilt wurde Schottlands Kleid und der Dudelsack sein nationales Musikinstrument, nicht bloß jene der Hochländer.

Straßenmusiker

Warum eigentlich die Dudelsäcke zu Schottlands spezifischer Eigenart geworden sind, ist ungewiss. Einige unfreundliche Leute sagen, das wäre so, weil die Schotten kein Ohr für Musik hätten. Jahrhunderte vorher wurden die Dudelsäcke in ganz Europa gespielt, eingeschlossen Deutschland, aber in Schottland begannen sie, zusammen mit dem Kilt, viel mehr als nur lustige Musik zu bedeuten. Sie wurden zur Trauer und zur Ehrung gespielt; es wurde zu ihnen getanzt und marschiert. Schottische Dudelsackkapellen wurden auf der ganzen Welt gebildet, nicht bloß in Ländern mit schottischen Vorfahren.

Abgesehen von den Hunderten von Kapellen in den USA, Kanada, Australien, Neuseeland und Südafrika gibt es auch *schottische* Kapellen in Oman, Japan, Mexiko, Malaysia, Hongkong, Indien, Pakistan, Hawaii und anderen weit entfernten Ländern. Alle tragen volle Hochlandtracht.

Einige sind ein bisschen näher der Heimat; in Dänemark, Holland, Belgien, Frankreich, der Schweiz, Spanien, Schweden und Finnland.

Sollte Deutschland da fehlen? Gewiss nicht! Es gibt auch viele Deutsche, die kein Ohr für Musik haben. In den nicht englisch sprechenden Ländern ist Deutschland wahrscheinlich, was das Dudelsackspielen angeht, weltweit führend. Es gibt einen deutschen Dudelsackpfeiferverband, die *Bagpipe Association of Germany* (BAG)[5], mit beinahe fünfzig deutschen Kapellen als Mitgliedern und vierzig weiteren aus benachbarten europäischen Ländern. Die deutschen Kapellen sind im ganzen früheren Westdeutschland verbreitet.

Nicht zufrieden damit hält BAG, ganz in der Tradition einer Nation, die lieber Studienreisen als Ferien macht, eine Sommerschule für Pfeifen, Trommeln und Tanzen ab. Im Jahr 2001 wird die zwanzigste davon in Breuberg im Odenwald abgehalten, auf Schloss Breuberg (siehe S. 39).

Der endgültige Triumph für das Schottentuch kam in der Mitte des neunzehnten Jahrhunderts, als Königin Victoria und ihr geliebter deutscher Ehemann, Albert, Balmoral Castle als Ferienwohnung kauften. Sie besaß eine entfernte Blutsverwandtschaft mit der Stewart-Dynastie, einst Schottlands Herrscher, und sie stattete Balmoral mit Stewart-Stofftapeten, -Polsterbezügen, -Gardinen und -Möbeln aus. Sofort wurde das Schottentuch weltweit zu einem großen Geschäft. Albert entwarf einen Balmoral-Tartan, und bis auf den heutigen Tag tragen Mitglieder der königlichen Familie an ihrem jährlichen Fest in Balmoral immer noch Kilts und Röcke aus diesem Stoff.

Der Kilt wird heute nicht mehr oft getragen, außer zu Hochzeiten und um „Schottischsein" zu demonstrieren. Z.B. bei einem internationalen Sportereignis daheim oder im Ausland. Diese Mode nimmt zu und mehr und mehr zeigen sich die Männer bei einer Hochzeit in voller Highland-Tracht, die jedesmal eigens für die Gelegenheit gemietet wird.

Die jungen Leute hatten jetzt den Palast von Holyroodhouse erreicht. Er wurde im sechzehnten Jahrhundert neben den Ruinen der Abtei als königliche Residenz erbaut, anstelle von Edinburgh Castle, aber es war kaum Zeit zu einem Einweihungsfest. 1603 erbte James VI von Schottland den Thron von England, wo er als James I bekannt werden sollte. Er packte sofort seine Koffer für die schöne weite Welt und versprach, bald wieder zu kommen. „Bald" entpuppte sich als vierzehn Jahre.

Holyroodhouse ist immer noch die offizielle schottische Residenz des Königs oder der Königin, und in den vierhundert Jahren, seit es verlassen wurde, ist es erweitert, perfekt in Schuss gehalten und wunderschön möbliert worden, obwohl es nicht mehr ist als ein gelegentliches erstklassiges *bed-and-breakfast*[6] für die Königsfamilie. Einige sagen, sie kommen nur, weil sie meinen, sie sollten sich hin und wieder einmal zeigen. Die aus dem 12. Jahrhundert stammende Augustinerabtei wurde beständig von den Engländern angegriffen, und nach der Reformation wurde sie nie wieder restauriert. Tatsächlich ist ein Teil der Steine zum Bau und zur Erweiterung des Palastes verwendet worden.

Hinter den Palast zu gehen, heißt in eine andere Welt zu gehen. Dort liegt *Arthur's Seat*, Edinburghs Everest. Er wurde vor 350 Millionen Jahren durch einen Vulkanausbruch geschaffen. Der Name ist eine Verballhornung des gälischen *Ard-na-said*, was „die Anhöhe der Pfeile" bedeutet, weil dort Bogenschießen praktiziert wurde. Mit 250 Metern ist er nicht ganz so hoch wie der Everest, aber er ist schon spektakulär direkt in der Mitte einer Stadt. Wenn man nichts von der Stadt wüsste, könnte man meinen, dies sei das Tor zu den Highlands.

Arthur's Seat liegt jetzt inmitten eines Parks, und rings darum herum führt eine Straße, auf der normalerweise dichter Verkehr herrscht. Es gibt einen kleinen *loch*[7] auf der Parkseite der Straße, wo Schwäne, Gänse, Enten, Wasserhühner, Möwen, Tauben, Stare und Spatzen erwarten, ein kostenloses Mittagessen zu bekommen, wie Bobby. An diesem besonderen Tag hatten die Gänse gerade die Ein-Uhr-Kanone gehört, und die Autos wurden für mehrere Minuten aufgehalten, während sie langsam im Gänsemarsch über die Straße watschelten, um sich dem Verein anzuschließen.

Schon ein seltsamer Ort, dieses Edinburgh.

Es ist ein schöner, klarer Tag, und Susi möchte den Everest angehen, wegen der Aussicht. Sie wird nicht enttäuscht. Ringsum innerhalb der Stadt liegen andere Vulkanberge, nicht so hoch wie Arthur's Seat, und sie kann mehrere Golfplätze sehen.

Sie schaut nach Osten über die Nordsee, kann die nächstgelegenen Länder, Norwegen, Dänemark und Norddeutschland, aber nur erahnen. Nach Westen hin ist offenes Land, wohinter die Stadt Glasgow und der Atlantik liegen. Beim Blick nach Süden sieht sie ein paar Kilometer entfernt Paraglider hoch über den Pentland-Hügeln. Auf der grünen Bergseite liegt eine enorme weiße Schlange. Es ist Edinburghs künstliche Skipiste, von der sie sich rühmen, sie sei die längste in Europa. Cian fragt Susi, ob sie sie gerne ausprobieren möchte, und sie sagt „Ja, bitte." Ihn erwartet eine Überraschung.

Nicht weit nach Norden liegt die majestätische, zweieinhalb Kilometer lange Eisenbahnbrücke über den River Forth, und neben ihr die jüngere, anmutige Straßenbrücke. Über beide fließt der Verkehr in die Highlands. Die Eisenbahnbrücke wurde vor über hundert Jahren gebaut, und damals wurde sie als das erste „Ingenieurswunder der Welt" beschrieben. Die Arbeit ging sieben Jahre lang Tag und Nacht voran, mit über 5.000 Arbeitern. 50.000 Tonnen Stahl wurden verwendet, und bei der Fertigstellung brauchte man drei Jahre, um 50.000 Liter Farbe aufzutragen.

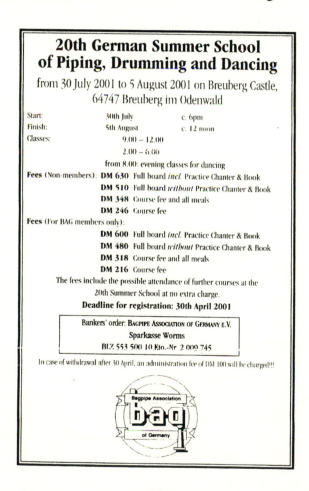

Ein großer Teil der Arbeiter waren Iren. Von ungefähr 1800 bis 1950 wurde ein Großteil der Schwerarbeit in Großbritannien von Iren erledigt, Gastarbeitern, die von Armut und Hunger aus ihren Heimen getrieben wurden. Noch 1950 wanderten Jungen, die nicht älter waren als 13, von Irlands Nordwesten barfuß und allein bis zu hundert Kilometer weit, um die Fähre von Londonderry nach Glasgow zu erreichen, um bei der Kartoffelernte ein paar Pennies zu verdienen.

Gar nicht weit von der Brücke liegt der Ort Käsestadt, wo eine ziemliche Anzahl der irischen Arbeiter wohnten. Man wird ihn auf keiner Karte finden, aber er ist da.

Auf der Karte heißt er Kirkliston. Jeden Morgen bekamen die Brückenarbeiter Käse zusammen mit ihrem Brot, das sie zur Arbeit mitnahmen. Eines Tages bezeichnete einer von ihnen mit typisch irischem Witz im Scherz die Siedlung als „Käsestadt", und der Name ist hängen geblieben. Mehr als hundert Jahre später ist sie in der Gegend immer noch unter diesem Namen bekannt, und die Ortsansässigen scheinen sogar stolz darauf zu sein. Vielleicht wird die Karte eines Tages dem unbekannten Iren die Anerkennung schenken, die er verdient.

Viele der Iren ließen sich in Schottland nieder und brachten ihre Frauen und Liebsten herüber oder heirateten schottische Frauen. Das Ergebnis ist, dass aus einer beinahe nicht vorhandenen römisch-katholischen Bevölkerung um 1800 heute (innerhalb einer Gesamtbevölkerung von fünf Millionen) fast eine Million geworden ist.

Susi blickte auf das hinunter, was offensichtlich ein sehr modernes Gebäude war, in der Nähe von Holyroodhouse. Es ist Edinburghs neuestes Museum, *Dynamic Earth*. Man kann es kaum ein Museum nennen, weil es ganz spektakulär lebendig ist – eine Achterbahnfahrt durch den Weltraum und die Zeit vom Urknall bis in die Gegenwart. Es lohnt einen Besuch für Kinder und Erwachsene, wie der Prospekt sagt.

Und so ging es nach einem Zehn-Kilometer-Spaziergang zurück zu einem Abendessen. Sie hatten den ganzen Tag über nichts essen müssen, wegen der „Erfahrung". Die Mahlzeit war schottische *broth*[8], gefolgt von einem anderem typisch schottischen Gericht, Pizza, und dann einem weiteren, Joghurt.

Im Bett schlief Susi beim Lesen ihres Buchs über die schottische Frühgeschichte ein.

Ein süßer Traum ...

Zig schreckte hoch. Sie hörte den Hund knurren. Draußen war ein Geräusch. Sie stand auf und ertastete sich den Weg zur Tür. Das Haus hatte keine Fenster, und es war stockfinster darin. Sie hatte vergessen, dass Zog, ihr Vetter, bei ihnen schlief, und trat auf sein Gesicht. Wie alle Jungen grunzte er nur und schlief weiter. Sie zog den großen Steinblock in der Türöffnung beiseite. Es war Vollmond, und sie konnte aus seiner Position am Himmel ablesen, dass es fast schon Morgen war.

Der Wolf, die boshaften Augen im Mondlicht glitzernd, stand zwei Meter entfernt. Er hatte versucht, den Steinschuppen niederzureißen, den sie und Zog für ihr lahmes Hasenbaby gebaut hatten. Sie war zwölf Jahre alt und sie wusste, wie man mit einem Wolf umgeht. Ihr Vater hatte es ihr beigebracht. Sie sah ihm ins Auge, knurrte und spuckte, und das Biest verzog sich.

Sie öffnete den Stall und nahm das Häschen aus seinem Strohbett und knuddelte es. Sie hörte die Ziege in ihrem Verschlag, zog die Tür zur Seite und holte etwas Milch. Sie tunkte ihre Finger hinein und hielt sie dann ihrem kleinen Freund hin.

Vor ein paar Tagen waren sie und Zog ausgeschickt worden, um Kaninchen für das Essen zu holen. Sie hatten feingestoßenes Stroh angezündet, indem sie einen Stock schnell auf einem Stein drehten und sachte auf das Stroh bliesen. Es war nicht leicht. Beide waren schon beinahe acht gewesen, bis sie das beherrschten. Wenn man zu feste blies, kühlte es das Stroh ab und es entzündete sich nicht, zu sachte, und es bekam nicht genug Sauerstoff. Nicht, dass sie irgendetwas über Sauerstoff wussten, – sie wussten nur, dass es funktionierte.

Die Kaninchen hatten eine niedrige Eingangstür und eine Hintertür, die höher lag. Niemand hatte den Kindern gesagt, dass warme Luft leichter ist als kalte Luft, sodass sie aufsteigt, aber Zog stopfte brennendes Stroh in den niedrigen vorderen Eingang und Zig hielt einen Ziegenhautsack über den hohen an der Rückseite. Nach ungefähr zehn Sekunden nahm Zog das Stroh heraus, obwohl die Kaninchen, wenn da denn welche waren, sich nicht gezeigt hatten. Wenn er es zu lange drin ließ, konnten sie ersticken und im Bau sterben. Dann kamen sie heraus, zwei große und ein lahmes Kleines. Es war nicht genug Fleisch oder Fell auf dem Kleinen, als dass es sich lohnte, es zu häuten, und Paps sagte, sie könnte es als Haustier behalten.

Die Vorstellung, nutzlose Tiere als Haustiere zu halten, war etwas ganz Neues in Skara Brae. Hunde waren schon lange gehalten worden, aber sie dienten einem Zweck, nicht zuletzt, dass sie einen nachts warnten. Vor einem Jahr jedoch war ein Junge aus einem Nachbardorf mit einer Möwe zu Besuch gekommen, die hinter ihm herging, und das war der Auslöser. In Skara Brae gab es jetzt zwei Mäuse, drei Wühlmäuse, eine Ente, eine Möwe, einen Adler und einen Seehund. Zig hat das erste Häschen, und sie ist sehr stolz darauf. Sie hofft, dass es eines Tages laufen und dahin gehen kann, wo sie hingeht.

Der Seehund und der Adler sind kostbare Besitztümer. Sie sind jetzt viel mehr als nur Haustiere. Sammy der Seehund bringt die Fische mit, die er fängt, und der Adler die Kaninchen. Der Adler wurde trainiert, aber Sammy lernte zufällig, und zwar auf die folgende Weise. Als er jung war, wurde er in einem Becken in den Felsen gehalten, aus dem er nicht herauskonnte, und Zog fütterte ihn jeden Tag. Er nahm, was er an Fischen gefangen hatte, zu dem Becken mit, schnitt ihnen die Köpfe und Schwänze ab und nahm sie aus, während Sammy in eifriger Erwartung der nächsten Delikatesse zusah. Als er größer wurde, wurde es unmöglich, ihn satt zu kriegen, und Zog entschied, dass er es riskieren müsste, dass Sammy vielleicht nicht zurückkam, wenn er seinen eigenen Fisch fangen ging. Man kann sich Zogs Erstaunen vorstellen, als Sammy innerhalb von zwei Minuten zurückkam und ihm einen Hering zu Füßen legte und gespannt auf seine Mahlzeit von Kopf, Schwänzen und Etceteras wartete.

Das Mädchen mit dem Adlerküken lernte rasch. Sie schnitt entschlossen die Kaninchenköpfe und -schwänze ab, säuberte die Tiere und nahm sie vor dem Vogel aus und verfütterte ihm dann diese Bissen. Das Küken lernte schnell, und als es freigelassen wurde, um jagen zu gehen, brachte auch es seinen Fang zurück.

Eines Tages dachte Zog, es sei Zeit für Sammy, sich einmal an einer neuen Erfahrung zu freuen: einem ganzen Hering. Zig kam gerade noch rechtzeitig vorbei und packte ihn beim Handgelenk, als er schon Sammy den Fisch zuwerfen wollte. „Kannst du nicht sehen, was geschehen würde?", rief sie. „Sammy bringt den Fisch nur zurück, um die Köpfe und Schwänze zu bekommen, nicht, um dir die Körper zu geben. Er ist vollkommen glücklich damit, aber wenn du ihm den ganzen Fisch gibst, wird er nichts mehr zurückbringen. Er kommt vielleicht nie mehr zurück."

Zig hatte bei ihrem Häschen gesessen, träumend, während die Sonne aufging. Sie wusch sich jeden Vollmond, und jetzt ging sie zum Fluss, um das zu tun. Sie zog ihre Häute aus und rieb Schlamm über ihren ganzen Körper und rollte sich dann im Fluss, um ihn abzuwaschen. Im Winter wusch sie sich natürlich nicht. Zog sagte, sie wasche sich zu oft. Es schwäche den Körper. Darum sind Männer stärker als Frauen.

Als Zog aufstand, tranken sie Ziegenmilch und gingen dann zur Arbeit. Ein neues Haus wurde gebaut, und es würde für die Familie Jahre gedauert haben, es alleine zu machen. Das ganze Dorf half mit. Die Steine wurden nicht von einem Baustoffhändler an die Tür geliefert; sie mussten zwei Kilometer entfernt gebrochen und zurück gezogen oder getragen werden. Weil Zig und Zog Kinder waren, erwartete man von ihnen nicht, schwere Steinplatten zu behauen und zu tragen, nur die kleineren Bausteine.

Der Stein auf der Insel war vollkommen dafür, ihn abzubauen und damit zu bauen. Das war der eine Grund, warum die erste Familie sich dort angesiedelt hatte. Es war ein Sandstein oder Schiefer, der sich an schwachen Schichten entlang, die leicht auszumachen waren, spalten ließ. Wenn kleine Feuersteinkeile, scharf wie Adlerklauen, aber viel härter, mit einem Steinhammer in diese Schichten hineingeschlagen wurden, zerspalteten sich Platten von Stein wie durch Zauber in dünne Scheiben. Die Kinder arbeiteten da, wo der Fels unvollkommen und von Rissen durchzogen war, sodass, wenn ein Keil hineingetrieben wurde, kleine Blöcke abbrachen, die gerade richtig dafür waren, Hauswände zu bauen.

Große Blöcke für Türen oder Betten oder um Räume aufzuteilen, wurden da gewonnen, wo der Fels keine Risse hatte. Es war die Aufgabe eines geschickten Mannes, die Steinbruchfläche auf unbeschädigten Stein hin zu untersuchen. Dort pflegte der Mann dann sechs oder noch mehr Feuersteinkeile zu benutzen, zwei Handbreiten auseinander, und sie abwechselnd nicht zu stark einzuschlagen. Manchmal, wenn sich der Brocken löste, gab es einen Ton wie einen Peitschenknall. Zog freute sich schon auf den Tag, wo er für diese Arbeit ausgebildet werden würde. Es war sehr befriedigend, einen Brocken abbrechen zu sehen, der zweimal so groß war wie er selbst.

Die Tagesarbeit bestand darin, vier Stunden lang Steine zu brechen und weitere vier Stunden lang Steine in den Ort zurück zu tragen oder zu ziehen. Eine ganze Reihe der kleineren Blöcke konnten auf einer Matte von geflochtenen Binsen oder einer alten Tierhaut gezogen werden, und diese wurden auf Strecken der Reise hügelab benutzt. Wo es den Hang hinauf ging, war es leichter, einzelne Steine zu tragen.

Wieder zu Hause bereitete Mam die eine tägliche Mahlzeit zu. Sie hatte überall nach der elektrischen Mühle gesucht, ohne Erfolg, sodass sie das Getreide zu Mehl mahlen musste, indem sie eine veraltete Handmühle benutzte. Das ist eine harte Steinplatte, ausgehöhlt, damit eine Hand voll Getreidekörner hineinpasst, und ein großes Steinei, um damit auf sie einzuhämmern. Die Aufgabe erfordert mehrere Stunden.

Sie buk ihre Pfannkuchen auf einer Steinplatte über einem Feuer und sie machte dasselbe mit den Heringen, die Sammy gebracht hatte. Niemals hatte es so reichlich Heringe gegeben. Zum Trinken gab es Ziegenmilch. Es war ein heißer Tag gewesen, und die Familie mochte die Milch gerne kalt. Sie hatten noch keinen Kühlschrank, und deshalb war die Milch einige Stunden lang in einem Ledereimer im Meer gewesen und schmeckte köstlich.

Wann immer es möglich war, wurde im Freien gekocht. Wenn sie drinnen Feuer hatten, konnten sie sich gegenseitig vor lauter Rauch kaum sehen, besonders wenn das Feuer aus getrocknetem Seetang oder getrocknetem Ziegen- oder Rehmist bestand. Holz war rar. Die Dorfbewohner hatten gehört, dass ein Mann auf einer anderen Insel etwas entworfen und gebaut hatte, was er einen Kamin nannte, welcher den Rauch schluckte. Zigs Paps schlug vor, hinzugehen und ihn sich anzusehen.

Als jeder außer Oma dachte, die Mahlzeit sei vorbei, ging diese ins Haus und kam mit einem Überraschungsgang wieder – einem riesigen Eimer voll Blaubeeren. Sie hatte sie den ganzen Tag lang gepflückt.

Dafür sind Omas da.

Und so schließlich zu Bett, aber nicht, ohne vorher dem Babyhäschen eine letzte Umarmung und ein paar Finger Milch zu geben.

... und die Realität?

Susi wachte früh auf, und sobald sie das Buch neben sich sah, wurde ihr klar, warum sie einen so wunderbaren Traum gehabt hatte. Sie wäre gern wieder eingeschlafen und hätte weitergeträumt, konnte aber nicht. Sie dachte darüber nach, was sie gelesen hatte.

Vor 12.000 Jahren bedeckte dickes Eis ganz Schottland und einen großen Teil von England und Wales, aber es schmolz allmählich, und als es das tat, kehrten tierisches und pflanzliches Leben zurück, während sich die Luft erwärmte. Wie lange das dauerte, weiß keiner mit Sicherheit, aber das früheste Anzeichen menschlicher Niederlassungen gibt es erst 3.000 Jahre später. Damit das möglich wurde, musste erst genügend Nahrung und Material für Kleidung zur Verfügung stehen, bis Menschen in der Lage waren, das Land zu bebauen und Viehzucht zu betreiben, oder es zu lernen.

Man hat Grund anzunehmen, dass die Würmer Schritt hielten mit dem anderen Tier- und Pflanzenleben, das nach Norden reiste. Wie lange würde wohl ein Wurm brauchen, sich tausend Kilometer vom Süden Englands bis in den Norden Schottlands durchzubohren? Tausend Jahre? Das ist ein Kilometer pro Jahr, oder drei Meter am Tag, und einen Acht-Stunden-Tag angenommen, ein bisschen weniger als ein halber Meter in der Stunde. Scheint möglich.

Es gibt nur eine bestimmte Menge Wasser auf der Erde und wenn es im Eis im Norden und Süden steckt, ist es nicht in den Meeren dazwischen, die dann seichter sind. Obwohl Schottland eisfrei geworden und zur Besiedlung geeignet war, musste noch eine Menge weiter im Norden abschmelzen und die Meere füllen, bevor die Reisenden hinüber segeln mussten.

Während die Entdecker nach Norden zogen, vermutlich mit einigen Ansiedlungen in England unterwegs, erreichten sie schließlich Orte, die in ihrer Vorstellung – sie kamen vom europäischen Festland – wohl nie existiert haben dürften; Hunderte und Aberhunderte von Inseln. Konnte es bessere Plätze für eine Familie, für eine Gruppe von Familien oder einen kleinen Stamm geben, um sein Heim dort aufzuschlagen? Das eigene Territorium war klar definiert, es gab genug Inseln für alle und es war nicht nötig zu versuchen, die hinauszuwerfen, die zuerst dorthin gekommen waren.

Nicht nur das; es gab einen endlosen Vorrat an Fisch und Schalentieren wie auch Seevögel und ihre Eier, zusätzlich zu Landtieren, für Fleisch und Häute. Nicht zuletzt gab es Felsen zum Bauen, von See und Gletschern bloßgelegt.

Skara Brae, wo Zig und Zog einst lebten, liegt auf einer der Orkney-Inseln im hohen Norden. Es wurde vor 150 Jahren entdeckt, als ein wütender Sturm den Sand fortpeitschte, in dem es begraben worden war. Hier gab es feste Wohnungen, gebaut, um zu überdauern, wo Bauern vor mehr als 4.500 Jahren das Land bebauten.

Diese Menschen waren nicht nur damit befasst, am Leben zu bleiben. Sie erbauten massive Grabstätten, Tempel, in denen sie ihre Toten beerdigten, häufig zusammen mit Werkzeugen, die in einem anderen Leben benötigt werden würden. Sie richteten riesige Steine und geheimnisvolle Steinkreise auf, wie auch anderswo in Europa.

Erst viel später wurden Verteidigungseinrichtungen erbaut. Hatten sie Tausende von Jahren miteinander in Frieden gelebt und waren neue Feinde angekommen?

Die Verteidigungsanlagen, wie man sie nirgendwo anders auf der Welt gefunden hat als im Norden Schottlands und auf den Inseln, sind riesige Steintürme, jetzt *brochs* genannt, welche aussehen wie moderne Kraftwerkskühltürme. Sie sind doppelwändig, und die Menschen lebten zwischen den Mauern. Es gibt ungefähr 500 von diesen Ruinen, und es gibt nirgendwo etwas, das ihnen ähnelt. Jemand da oben muss den ersten entworfen und gebaut und dann anderen erlaubt haben, ihn sich anzusehen und ihren eigenen zu bauen, einmal angenommen, dass diejenigen in den unterschiedlichen Siedlungen im Frieden miteinander lebten.

Wenn Archäologen die Überbleibsel von Siedlungen untersuchen, dann benutzen sie keine Hacken, um die Vergangenheit auszugraben. Sie arbeiten auf Knien und enthüllen sie sorgfältig, wobei sie Zahnstocher, Zahnbürsten und kleine Pinsel benutzen, damit nichts übersehen wird. In Zigs Haus in Skara Brae waren Perlen von einer zerrissenen Kette über den Boden verstreut. Daraus wurde geschlossen, dass die Bewohner es in Eile verließen und nie zurückkehrten. Susi denkt nicht gern daran, was Zig und Zog wohl passiert sein könnte.

Finnischer Ski-Champion

Es war Zeit aufzustehen. Heute sollte ein *good time day*, ein reiner Urlaubstag werden. Nach dem Frühstück würden sie und Cian mit dem Bus zu der Skipiste fahren, zum Mittagessen nach Hause kommen, dann nachmittags Skateboard fahren und schließlich mit Cians Papa Golf spielen.

Dies war Susis erste Erfahrung mit einem Doppeldecker-Bus. Sie gingen natürlich nach oben und setzten sich ganz nach vorne, von wo sie auf die Autos und Fußgänger herunterschauen konnten. Sie konnten über Mauern in die Gärten der Leute sehen, sie bespitzeln, und über Felder hinweg Golfplätze und Höfe ausmachen. Für diejenigen, die regelmäßig mit dem Bus fahren, ist es nur wieder eine von diesen langweiligen Fahrten, aber es ist ein Spaß für jeden, der es noch nicht gemacht hat. Susi tat es Leid, als sie schon in zwanzig Minuten an der Skipiste waren.

Sie war ziemlich beeindruckt, als sie sie sah. Nicht ganz so wie in den Alpen, aber gut genug für Anfänger, um eine Menge Übung zu bekommen, bevor sie dorthin fuhren. Die Skipisten sind Honigwaben von Millionen nach oben gekehrter Bürsten, die ein hübsches Gesicht ziemlich schlimm zurichten konnten, wenn man nicht aufpasste. Jetzt, wo sie es gesehen hatte, fragte Cian, ob sie es probieren wolle. Er würde zuerst hinunterfahren, um es vorzumachen, und sie stimmte zu, und sie gingen los, um die Skier zu mieten.

Es gibt einen Skilift, der die halbe Strecke hoch geht, und einen Sessellift bis zur Spitze. Sie nahmen den Sessellift. Cian fuhr zuerst los, nachdem er Susi gesagt hatte, sie solle vorsichtig sein. Er war halbwegs unten, als jemand wie ein Blitz an ihm vorbeizischte, in Kurven und Kehren wie in einem imaginären Slalom. Ratet mal, wer?

Sie machte sich nur einen harmlosen Spaß mit Cian und hatte nicht erkannt, dass dort noch nie etwas wie dies hier gesehen worden war. Schließlich hatte sie zu Hause mehrfach die Juniorenmeisterschaften gewonnen. Abgesehen von Cian hatten auch andere nicht versäumt, die spektakuläre Abfahrt zu beobachten, und nachdem sie es ihren Freunden erzählt hatten, hielt etwa die Hälfte der hundert oder mehr Skifahrer an, um zuzuschauen, als sie zum zweiten Mal herunterdonnerte.

Auf ihrer dritten Fahrt bemerkte sie dann, was geschah. Sie war die Einzige, die Ski fuhr. Alle anderen sahen zu. Noch eines der weisen Worte ihrer Mutter ging ihr durch den Kopf. Die Briten mögen es nicht, wenn Fremde ihnen zeigen, wie man es macht, besonders Amerikaner und ganz besonders Deutsche. Als sie anhielt, ging das Gejohle los und sie wurde gemobbt. Sie musste schnell denken.

„Wo hast du gelernt, so Ski zu fahren?"

Sie lächelte ihr schüchternes und bescheidenes Lächeln. Schließlich *ist* sie schüchtern und bescheiden, und sie wollte nicht, dass man sie für eine raffinierte Deutsche hielt, also wurde sie raffiniert und wurde zu einer Einwohnerin des romantischen und harmlosen Finnland.

„Zu Hause im hohen Norden von Finnland", sagte sie, „wo acht Monate im Jahr der Schnee um unsere Häuser herum liegt und auf den Bergen das ganze Jahr. Ich gehe auf Skiern zur Schule. Mein Vater ist ein Skilehrer und ich bin oft am Wochenende mit ihm auf den Pisten. Sie würden wie ich sein oder besser, wenn Sie die Chance hätten."

Cian hörte mit offenem Mund zu.

Das Publikum – es gibt keinen anderen Namen dafür – wollte wissen, für wie lange sie hier wäre und ob sie wohl darauf eingestellt wäre, Unterricht zu geben.

Wieder dieses gewinnende Lächeln. Sie war nur für ein paar Tage in Edinburgh, um ihren Cousin Cian zu besuchen – sie drehte sich um und zeigte auf ihn.

An diesem Punkt entschied Cian sich, sich auf die Sache einzulassen. „Sie möchte es nicht gerne sagen, aber sie muss sich auf die finnische Nationalmeisterschaft vorbereiten", sagte er. „Wenn sie gewinnt, wird sie der jüngste Champion aller Zeiten."

Das war es dann, was jeden nach Stiften und Papier Ausschau halten ließ, um Autogramme von einem möglichen künftigen Olympia-Champion zu bekommen, und es war an Cian, rasch zu denken.

„Tut mir Leid, aber wir müssen zum Flughafen, um Susis Mutter zu treffen, und wir müssen den Zwölf-Uhr-Bus bekommen."

„Ich kann euch mitnehmen", rief jemand, „und es wird massenhaft Zeit für ein paar Autogramme geben."

„Das ist sehr nett von Ihnen", sagte Cian, „aber wir müssen meine Mutter im Bus treffen, und sie wird nicht wissen, was passiert ist, wenn wir nicht dort sind." Er packte Susi bei der Hand und rannte davon. Er fragte nicht, warum sie ein Märchen erzählt hatte. „Du hast mir nicht gesagt, dass du so Ski fahren kannst", war alles, was er sagte.

„Du hast nicht gefragt", erwiderte sie, „daher dachte ich mir, ich würde dich überraschen."

Nach noch einer spannenden Busfahrt waren sie zum Mittagessen wieder zu Hause. Es sollten Königsberger Klopse sein, gemacht nach dem Rezept der gewissenhaften Doennig-Schwestern.

Cians Oma hatte ein Exemplar von Doennigs Kochbuch von ihrer Oma besessen, und jetzt hatte es seine Mam. Oma hatte das Buch nur für Königsberger Klopse benutzt und hatte es aus sentimentalen Gründen aufbewahrt, nicht weil sie die feine Kunst der Zubereitung von Feinem Würzfleisch in Muscheln oder Fischeintopf nach Pichelsteiner Art wissen wollte. Ihr Motto fürs Kochen war: Halte es einfach.

Bevor sie nach Schottland kam, hatte sie überhaupt nicht gekocht, und die einzigen Rezepte, die sie hatte, waren in ihrem Kopf. Sie waren für Rote Grütze, „gezuckerte Eier" und Dickmilch.

Das erste von diesen machte sie mit Holunderbeeren, im Sommer gleich säckeweise gesammelt, sachte mit Zucker durchgekocht und zur Saftgewinnung durch ein Tuch gepresst. Der Saft wurde dann in Flaschen abgefüllt, für die Grütze und zum Trinken. Schottische Freunde lehnten meist ab, wenn ihnen etwas davon zu trinken angeboten wurde, wenn man ihnen sagte, dass es mit Holunderbeeren gemacht war, und hielten aus dem gleichen Grund auch nicht viel von der Grütze. Diese Beeren waren für die Vögel da oder um daraus Wein zu machen, nichts sonst.

Für gezuckerte Eier wurde das Weiße vom Eigelb getrennt und mit etwas Zucker steif geschlagen. Zucker und Zitronensaft wurden zum Eigelb hinzugegeben, das dann geschlagen und über das Weiße gegossen wurde. Wieder wollten die Schotten es nicht haben. Wer würde denn auch ein rohes Ei essen?

Cians Opa gab einmal einem Vetter ein Glas Rollmops, das er aus Deutschland mitgebracht hatte. Zu dieser Zeit waren sie in Schottland kaum bekannt. Ein eingelegter Hering wird in Schottland gerollt wie ein Rollmops, mit Zwiebelscheiben drauf, aber er wird dann in Essig gekocht und kalt gegessen. Als man ihm sagte, der Rollmops sollte so gegessen werden, wie er ist, warf der Vetter *einen* Blick auf die silbrigen Häute und holte seine Bratpfanne heraus. Nur Wilde essen rohen Fisch.

Man wagte gar nicht erst, über Dickmilch zu reden. Der Rest der Familie konnte kaum zusehen, wie sie gegessen wurde, – ganz zu schweigen davon, sie selbst zu essen. Hergestellt wurde sie folgendermaßen: Wenn etwas Milch sauer geworden war, wie es im Sommer in den Tagen, ehe es Kühlschränke gab, häufig der Fall war, wurde sie einen Tag oder zwei lang stehen gelassen, bis sie sich setzte, und dann mit Zucker gegessen.

Nach dem Essen ging's zum Skateboardfahren. Jetzt war es an Cian, ein bisschen anzugeben.

Ein Skateboard ist nicht gerade billig dafür, dass es eigentlich nur ein kleines Stück Sperrholz ist, an jedem Ende hochgebogen, mit vier kleinen Rädern dran. Cians Board würde ihn ohne Räder in Edinburgh £ 80 gekostet haben, aber er war schlau und bestellte es im Internet für £ 40 aus Amerika.

Er hatte keine akzeptable Bankkarte, um das Geld via Internet zu überweisen, daher musste er £ 15 für einen Order-Scheck bezahlen, aber es blieb immer noch eine gute Ersparnis. Nachdem dieser in Amerika eingegangen war, kam eine e-mail, in der £ 25 für das Verschiffen verlangt wurden. Cian beschwerte sich, dass man ihm das vorher hätte sagen müssen und dass er jetzt noch einen Orderscheck brauchen würde. Die Firma verringerte die Frachtgebühren auf £ 10, und nachdem er sie abgeschickt hatte, kam eine e-mail, um zu sagen, dass das Board unterwegs wäre.

Der Paketbote kam dann auch richtig und wollte £ 25 haben, bevor er die Ware übergeben wollte; £ 15 Mehrwertsteuer und Zoll und £ 10 für den Boten, dass er die Regierungsgelder einsammelte. Man hört nicht auf zu lernen!

Als sie zur Arena kommen, einem Rechteck, das zur Universität von Edinburgh gehört, sind dort mehrere Gladiatoren in Aktion. Es hängt ein Hinweis an der Wand, der „Kein Skateboard-Fahren" besagt, sodass es scheint, dass Skateboarder nicht lesen können. Wenn es ein Publikum gibt, um die Mutbeweise zu bewundern, dann desto besser, solange es weiß, dass es auf eigene Gefahr dort ist.

Es wird empfohlen, dass Helme, Handschuhe, Ellenbogen- und Knieschützer getragen werden, aber diese werden von den Kämpfern verachtet, von denen einer vor Susi durch die Luft fliegt, um seine Geschicklichkeit zu zeigen, und auf seinem Kopf landet, aus dem sofort Blut hervorschießt.

Das bläut dem auch keinen Verstand ein. Er steht stolz auf und macht weiter, aber nicht, ohne vorher zu einem Fenster hinüberzugehen und zu versuchen, ob er sein Spiegelbild sehen kann. Susi erinnert das an deutsche Studenten aus alter Zeit und ihre Duellnarben. „Er hofft wahrscheinlich auf eine Wunde, die ihn fürs ganze Leben zeichnen wird", dachte sie.

Cian machte es gut. Es gibt einige todesverachtende Tricks

mit Namen, die nur aus Amerika kommen konnten: *Madonna Air, Stalefish Air, Kickflip, Indy Grab, Rocket Air, Japan Air, Crooked Grind*. Es geht immer so weiter. Die Liste ist beinahe so lang wie die von den Lebensmitteln, die die Schotten braten.

Möchte Susi es auch einmal probieren? „Nein, ich bin doch nicht blöd" (sagt sie zu sich selbst). Laut sagt sie „nein danke", und dass sie nicht so geschickt ist. Sie zieht ein Kickboard vor, um einen Lenker zu haben (sagt sie zu sich).

Golf und Spiderman

Nun heißt es nach Hause zum Abendessen und dann Golf mit Papa. Cian hatte gesagt, er würde einen Freund bitten, der ausgezeichnet Golf spielt, mitzukommen und Susi zu zeigen, wie man spielt, aber als sie das Haus verließen, fiel ihm ein, dass er es nicht getan hatte. Er bat sie zu warten, kam dann aber zurück, um zu sagen, dass der Junge leider nicht zu Hause wäre.

Golf ist ein Spiel, für das einige ein natürliches Talent mitbringen und andere nicht. Susi hatte es. Sie brauchte keinen Trainer. Nachdem sie ein paar Löcher gespielt hatte, war sie so gut wie Cian und besser als sein Papa. Wenn sie nicht aufpasste, würde sie bald wieder angeben.

Wie schon gesagt beträgt die Entfernung vom Tee bis zum Loch auf diesem kleinen Platz weniger als hundert Meter, aber es ist trotzdem nicht einfach, auf einmal einzulochen. Cian hatte es noch nie geschafft und sein Papa sagte, wenn er es je schaffen würde, würde er ihm zwanzig Pfund schenken. Nach dem vierzehnten Loch war Susi nur noch zwei Meter vom Erfolg entfernt und Papa, immer großzügig, wenn er weiß, dass er nicht verlieren kann, sagte, dass auch sie zwanzig Pfund haben könnte, wenn sie es schaffte.

Die Bindung an Cians Golfschläger löste sich, und als sie sich daran machten, das sechzehnte Loch zu spielen, bat er seinen Papa, sie für ihn festzumachen. Am sechzehnten steigt das Gelände an und fällt zwischen dem Tee und der Grünfläche, sodass die Fahne im Loch vom Tee aus nicht sichtbar ist. Es ist das, was man ein „blindes" Loch nennt.

Alle drei schlugen ihre Bälle, aber als sie über den Hang auf das Grün zugingen, war nur der von Papa zu finden. Sie suchten fast zehn Minuten, bis es Papa war, der das Undenkbare dachte – die Bälle könnten im Loch sein.

Sie waren!

Wieder zu Hause zückte Papa widerstrebend seine Brieftasche, um die vierzig Pfund auszuhändigen. Es schien ihm zwar etwas faul an der Sache zu sein, aber er konnte nicht entdecken, was. Wie konnten sein Sohn, der es noch nie geschafft hatte, und ein Mädchen, das noch nie gespielt hatte, es am gleichen Loch zusammen schaffen? Es musste eine Chance von eins zu einer Million sein, aber er kannte sich aus mit Statistiken und musste akzeptieren, dass bei einer Million Versuche auch einmal die Chance von eins zu einer Million eintreten konnte. Aber er konnte es nicht glauben, obwohl er der Erste war, der zum Loch ging und die Bälle, die Susi und Cian gespielt hatten, darin fand.

Er beschloss, dass er ihnen das Geld geben musste. Sein Sohn war ein Spitzbube, aber kein Dieb, und er konnte nicht andeuten, dass er ihm vielleicht nicht traute, indem er ihm Fragen stellte. Ganz sicher konnte er einem Gast keine Fragen stellen.

Als sie die Knete in den Händen hatten, grinste Cian. „Finde raus, wie es gemacht wurde, und du kannst es wieder haben", sagte er zu seinem Paps.

Sein Papa konnte es nicht und auch nicht Susi, die nicht in das Geheimnis eingeweiht worden war.

Bevor du weiterliest: Kannst du, der Leser, es austüfteln? Es ist nicht schwer.

Ehe er das Haus verließ, sagte Cian, dass er einen Freund anrufen müsste, der Susi lernen helfen sollte. Er kam zurück und sagte, der Freund wäre nicht zu Hause. Das stimmte nicht, er war da und wurde beordert, zum Golfplatz zu gehen und sich für die Aktion bereitzuhalten, die sie geplant hatten. Cians Papa kannte den Jungen nicht und würde nicht argwöhnisch sein, wenn er ihn zu Gesicht bekäme.

Beim sechzehnten Loch musste der Komplize oben auf dem Hang sein, um zu sehen, wer den Ball abschlug, dann schnell Susis und Cians Bälle holen und sie in das Loch legen. Man würde ihn nicht dabei sehen, weil die Grünfläche vom Tee aus nicht zu sehen ist. Und um Papa abzulenken, als sie ihre Bälle schlugen, hatte Cian ihn gebeten, die Bindung an seinem Schläger zu reparieren.

Ganz einfach! Cian und Susi gaben das Geld zurück.

An diesem Abend hatte Susi wieder die Nase in ihrem Geschichtsbuch. Es war jetzt 500 v. Chr. und die Kelten aus Europa kauften Einzelfahrkarten für die irischen und englischen Fähren, und von England gingen sie nach Schottland. Diese Leute waren wahrscheinlich die letzten, die in kleinen Gruppen übersetzten, um sich niederzulassen. Die Römer gingen 500 Jahre später mit einer ganzen Armee, um zu besiegen und zu herrschen, aber sie kamen nicht bis zum schottischen Hochland.

Die Abreise der Römer 400 n. Chr. war das Signal für andere, zu kommen und sich ein Stück vom Kuchen zu holen, der Schottland werden sollte. Ein Stamm der irischen Kelten meinte, die Kirschen in Nachbars Garten würden besser schmecken, machte eine Invasion und ließ sich im Nordwesten nieder. Die Angeln aus dem damaligen Deutschland, die England seinen Namen gaben, kamen nach Norden, übernahmen den Südosten und die Bretonen (Kelten aus England) besetzten den Südwesten. Die ursprünglichen Kelten („Pikten", weil sie ihre Körper mit *pictures,* also Bildern bemalten) wurden dann auf die Inseln und den Nordosten eingeschränkt. Also bestand das, was später Schottland werden sollte, wie Cian aus vier Teilen: irisch, deutsch, englisch und schottisch.

Die Iren entschieden, dass sie den ganzen Kuchen wollten, und zwischen 844 und 1018 n. Chr. bekamen sie das meiste davon, als die vier Teile zu Schottland wurden, um von einem König irischer Abstammung beherrscht zu werden. Es waren auch die Iren, die Schottland seinen Namen gaben, weil man die ursprünglichen irischen Invasoren als Scoten kannte.

Vielleicht würde ein ernsthafter Historiker oder Geschichtslehrer es nicht so beschreiben, aber soweit es Cian angeht, ist

Schottland irisch, sein erster König war Ire und die Schotten sind zweitklassige Iren.

Ein sehr wichtiger Ire, der vor 600 n. Chr. nach Schottland kam, war der christliche Missionar St. Columba. Er musste Irland sehr eilig verlassen, weil er den Psalter von jemand anderem abgeschrieben hatte. Das klingt beinahe so schlimm, wie die Hausaufgaben von jemand anders abzuschreiben, außer dass wir nicht um unser Leben rennen müssen, wenn wir ertappt werden.

St. Columba und die anderen Missionare hatten ihr Hauptquartier auf der winzigen schottischen Insel Iona und von dort aus gingen sie durch ganz Schottland, um die frohe Nachricht von Christus dem Erlöser zu verbreiten. Sie müssen Tausende von Kilometern gereist sein und Dutzende von Inseln in einem fremden Land mit fremden Sprachen, ohne Landkarten, ohne Straßen, ohne Brücken und ohne Fähren besucht haben. Selbst die starken Fähren von heute können im Sommer manchmal nicht zu den Inseln übersetzen, wegen starker Winde und rauer See. Wie war das wohl in einem kleinen Ruderboot?

Und wer sagte ihnen, wo sie hingehen sollten und wohin nicht? Oder wie sie am besten dort hinkamen! Und wenn sie hinkamen, was erzählten sie den Leuten, die ganz gut ohne Jesus und seinen Gott ausgekommen waren, danke sehr, und die Tausende von Jahren lang ihre eigenen Götter und ihren eigenen Glauben gehabt hatten? Sagten sie, sie wären verrückt, die Sonne, die ihnen Wärme und Licht gab, zum Gott zu machen; den Regen, der die Saaten wachsen ließ; das Meer, das sie beständig mit Nahrung versorgte; den Mond, der die Gezeiten steigen und fallen ließ und den Himmel bei Nacht erhellte?

Oder sagten sie einfach, dass Jesus der Sohn des einzigen Gottes sei, der die Erde und alles Leben darauf geschaffen habe, wie auch die Sonne, den Regen, das Meer, den Mond, die Sterne? Und dass sie, wenn sie an diesen allmächtigen Gott glaubten, „gerettet" würden und dass sie nach dem Tod auf Erden zum Himmel aufsteigen würden, einem herrlichen Land, das von

Milch und Honig überfloss? Diejenigen, die sich entschieden, nicht zu glauben, würden zur Hölle fahren, einem Ort von unvorstellbarem Schrecken.

Schottland war 1018 n. Chr. noch nicht ganz vollständig. Hunderte von Jahren lang hatten die heidnischen Wikinger ganz Europa geplündert, terrorisiert und überall gemordet, und Schottland war dem nicht entgangen. Tatsächlich hatten die Wikinger Schottland nicht nur ausgeraubt, sie hatten sich an der Nordküste und auf den meisten Inseln niedergelassen. Erst 1263 n. Chr., als die Wikinger den Kampf aufgaben, die Ländereien zu halten, war Schottland wirklich Schottland. Es sollte nicht leicht werden, so zu bleiben, mit einem hungrigen Löwen im Süden, der darauf brannte, es aufzufressen.

Der englische Löwe versuchte es zuerst mit Schläue, die Schotten in seine Höhle zu locken. Durch Verwandtenehe wurde Margaret, Tochter des Königs von Norwegen, 1285 n. Chr. im Alter von zwei Jahren Königin von Schottland. 1290 n. Chr. arrangierte Edward I von England die Heirat der siebenjährigen Königin mit seinem sechsjährigen Sohn Edward, der später König von England werden würde. Ihr Kind würde dann der Erbe beider Throne. Angesichts der blutigen Schlachten, die Hunderte von Jahren lang folgen sollten, wäre das vielleicht das Beste gewesen, aber es geschah nicht.

Um aus den Gedichten von Burns zu zitieren: „Die am besten erdachten Pläne von Mäusen und Menschen schlagen oft fehl". Die siebenjährige Margaret starb auf der Reise von Norwegen zur Hochzeit, und Edwards Plan war ruiniert.

Danach und nach noch mehr schlauen Plänen verlor Edward die Geduld und unternahm 1296 n. Chr. einen mörderischen Angriff auf die Schotten. Es tritt auf Schottlands größter Kriegsheld, der Widerstandskämpfer William Wallace. Man kennt ihn vielleicht besser als Mel Gibson, oder noch besser als „Braveheart".

Wallace kämpfte neun Jahre lang gegen weit überlegene Kräfte, bis er für eine Belohnung von 151 Pfund verraten und von den Engländern gefangen wurde. Er wurde in London gefoltert und hingerichtet und sein Kopf an Londons Tower Bridge ausgestellt. Als Warnung für andere schottische Rebellen wurden seine Arme und Beine nach Newcastle, Berwick, Stirling und Perth gebracht, um ausgestellt zu werden. Er war gerade erst dreißig Jahre alt.

Braveheart

Das brachte die Schotten wahrscheinlich erst richtig hoch, statt ihnen Angst einzujagen und sie zu zähmen. Noch ein Held, Robert the Bruce, hatte sich selbst zum König erklärt und kämpfte weiter, gab aber irgendwann auf und floh, in der Absicht, ins Exil nach Irland zu gehen. Die Legende will wissen, dass er in einer Höhle auf einer kleinen Insel auf dem Weg dorthin Zuflucht suchte, wo er beobachtete, wie eine Spinne mit ihrem Faden zuguterletzt nach vielen vergeblichen Versuchen einen unmöglich erscheinenden Spalt überbrückte.

Bruce kehrte dann zurück, um einen weiteren Versuch zu machen, und nach einem von Schottlands größten Siegen über die Engländer lief der Löwe mit dem Schwanz zwischen den Beinen nach Hause. Es war 1314 n. Chr. bei Bannockburn, nahe Stirling, wo eine viel stärkere englische Armee vernichtet wurde.

Vielleicht ist es keine Legende und eine Spinne änderte tatsächlich Schottlands Geschichte. Susi möchte es gerne denken.

Es vergingen nur wenige Jahre, bis Papst Johannes XXII eingriff. Anscheinend war er auf der Seite von Edward II und beorderte vier schottische Bischöfe nach Rom, um sich für die Beschuldigung der Rebellion gegen die Engländer zu verantworten. 1320 erhielt er eine trotzige Antwort in einem Brief, den der Abt von Arbroath Abbey verfasst hatte und den viele schottische Edelleute unterschrieben hatten. Gegen Ende heißt es:

Solange nur hundert von uns am Leben bleiben, werden wir uns niemals englischer Herrschaft ergeben. Wir kämpfen nicht für Ruhm noch für Reichtümer noch für Ehre, sondern einzig und allein für die Freiheit, die kein guter Mann aufgibt, außer mit seinem Leben.

Der Brief ging in die Geschichte ein als die „Declaration of Arbroath", und die letzten Zeilen werden bis heute zitiert von denen, die immer noch von den englischen Unterdrückern frei zu werden suchen. Inmitten der unschuldigen Ansichtspostkarten von Highland-Tälern, zottigem Vieh, Tänzern, Dudelsackpfeifern, wildem Haggis und Loch Ness-Monstern kann es passieren, dass Touristen in Verwirrung geraten, wenn sie andere finden, auf denen nichts weiter steht als diese Zeilen aus der Erklärung von Arbroath.

Wie später im Zusammenhang mit einem anderen Zwischenfall erzählt werden wird, mit dem Edward I zu tun hatte, vergessen die Schotten nicht so leicht.

Spiderman

63

Aufgewärmte mexikanische Suppe

Heute nahm Opa – nennen wir ihn Alfie – sie nach Glasgow mit, wo er geboren wurde, und zur Küste an der Mündung des River Clyde. Dort und auf den nahe gelegenen Inseln verbrachten die Leute aus den Industriestädten im Westen Schottlands ihren Sommerurlaub und ließen es sich gut gehen, bis Spanien entdeckt wurde.

Es war auch am Clyde, wo Alfies junge Braut, die wie Susi den Golfstrom aus der Schule kannte, beinahe an Erfrierungen starb, als sie hineinsauste in etwas, was sie für eine warme Brühe hielt. In Ostpreußen sind die Seen, obwohl sie den Winter über monatelang zugefroren sind, zum Schwimmen im Sommer angenehm, wie auch das Baltische Meer.

Glasgow hat ungefähr eine Dreiviertelmillion Einwohner, was viel mehr ist als Edinburgh, und ist der Ansicht, es sollte Schottlands Hauptstadt sein. Es hatte gehofft, das neue Parlament würde dort angesiedelt sein, aber es ist in Edinburgh.

Die Stadt beheimatet Schottlands zwei bestbekannte Fußballvereine, die Rangers und Celtic. Über hundert Jahre lang hatten die Rangers keine römisch-katholischen Spieler oder Angestellten irgendeiner Art. In den 1980ern nahmen sie einen Katholiken unter Vertrag, der vorher für Celtic gespielt hatte, und es gab einen Aufstand. Ungefähr zur gleichen Zeit ernannten sie einen Manager mit einer katholischen Frau, und das verursachte ein ziemliches Zerwürfnis. Ihre Anhänger sind protestantisch und kommen aus ganz Schottland und Nordirland, um das Team zu unterstützen.

Die von Celtic wiederum sind katholisch, obwohl sie ab und zu mal einen protestantischen Spieler hatten, aber ihre Anhänger sind katholisch.

Die Farbe Blau steht für Rangers und Grün für Celtic. Viele Anhänger der Rangers tragen niemals Kleidung, wo nur das kleinste bisschen Grün drin ist, und richten auch nie ihre Wohnungen mit grünen Möbeln ein oder kaufen grüne Autos. Dasselbe ist es mit Celtic und Blau.

Die Clubs sind bei weitem die wohlhabendsten und erfolgreichsten in Schottland, und sie möchten, dass das so bleibt, daher kaufen sie jetzt Spieler aus jedem Land von jeder Hautfarbe, jeder Rasse und jedem Glaubensbekenntnis. Die Fans andererseits, besonders die der Rangers, halten an ihrer religiösen Bigotterie fest.

Die Menschen von Glasgow haben den Ruf, freundlicher zu sein als die in Edinburgh, und Susi fragt sich, wie das sein kann. In Edinburgh hatte sie sehr bald festgestellt, dass es dort eine Höflichkeit, Fröhlichkeit und Bereitschaft gab, Fremden zu helfen, die in Deutschland fehlt. Leute, die sich nicht kannten, lächelten sich an, unterhielten sich und entschuldigten sich für irgendetwas – oder für nichts.

Sie sah, wie ein Mann versehentlich einem anderen ein Bein stellte, der glatt auf die Nase fiel. Der so zu Fall Gebrachte stand auf, lächelte und sagte: „Tut mir Leid, ich habe nicht aufgepasst, wo ich hinging." Der Mann, der ihn zu Fall gebracht hatte, bestand darauf, es sei sein Fehler gewesen, aber der, der zu Fall gebracht worden war, akzeptierte das nicht. Erst da gab es zwischen ihnen so etwas wie ein Anzeichen von Verärgerung.

In den Supermärkten und großen Läden haben die Assistenten Namensschilder, die einem sagen, dass sie John oder Jean sind, nicht Herr oder Frau oder Fräulein Schmidt. Sie sind nicht so tüchtig wie hoch qualifizierte Deutsche, aber sie ziehen nicht die Augenbrauen hoch, wenn man ihnen dumme Fragen stellt, oder sagen „Dafür bin ich nicht zuständig". Sie lächeln und versuchen zu helfen. Sie sagen einem nicht „da drüben", sie bestehen darauf, alles, was sie gerade tun, zu unterbrechen, um einen nach „da drüben" zu bringen.

In den Kinderabteilungen der Krankenhäuser tragen die jungen Ärzte und die Krankenschwestern ebenfalls John-und-Jean-

Schilder und sind sich gegenseitig wie auch den Kindern nur unter ihren Vornamen bekannt.

Eine Sache, die die Schotten nicht mögen, ist Kritik von Außenstehenden, obwohl sie sich liebend gern selbst kritisieren. So werden z.B. die meisten Einwohner von Edinburgh sagen, die Abfallbeseitigung sei extrem primitiv, immer noch sehr nach dem „Gardy loo"-Prinzip, und sie würden bald die Dienste eines bezahlten Rattenfängers von Hameln brauchen, – obwohl die kürzliche Entdeckung deutscher Mülltonnen auf Rädern durch den Stadtrat ein bisschen geholfen hat.

Als ein deutscher Besucher, mehr in Sorge als in Verärgerung, es wagte, den Zustand der Straßen in einem Brief an Edinburghs Tageszeitung, *The Scotsman*, zu kritisieren, konnte er von Glück sagen, dass er nicht gefangen genommen und lebenslang in den Kerkern von Edinburgh Castle eingesperrt wurde.

Deutsche andererseits machen sich Gedanken darüber, was andere von ihnen denken, und nehmen Kritik ernst. Bis vor kurzem war Alfie der Ansicht, dies wäre ein Schuldkomplex in Folge der Übel des Nationalsozialismus, aber jetzt hat er entdeckt, dass die Sache viel weiter zurückgeht.

Vor hundert Jahren schrieb der englische Schriftsteller Jerome K. Jerome das humorvoll-satirische *Three Men on the Bummel*[9], liebevolle, aber kritische Beobachtungen der Leute, die er gesammelt hatte, während er mit zwei Freunden in Deutschland auf einer Radtour war. Er schrieb von ihrem Bedürfnis nach kristallklaren Verhaltensregeln und präzisen Anweisungen, die alle Aspekte eines geordneten Lebens beherrschten. In dieser Hinsicht berichtet er von einem Boten, der ausgesandt wurde, um einen Brief zu überbringen und auf eine Antwort zu warten. Der Mann tat genau, was man ihm aufgetragen hatte – und kam nie zurück.

Gegen Ende des Buches steht dieses:

Die Deutschen sind ein gutes Volk. Im Großen und Ganzen, vielleicht das beste Volk auf der Welt; ein liebenswer-

tes, selbstloses, freundliches Volk. Ich bin überzeugt davon, dass die überwiegende Mehrheit von ihnen in den Himmel kommen wird. Tatsächlich, vergleicht man sie mit den anderen christlichen Nationen, ist man zu der Schlussfolgerung gezwungen, dass der Himmel hauptsächlich von deutscher Machart sein wird.

Dann gibt es eine Warnung:

Die deutsche Vorstellung von Pflicht möchte als blinder Gehorsam gegenüber allem erscheinen, was Uniformknöpfe trägt. Bislang hat der Deutsche das Glück gehabt, äußerst gut regiert zu werden; wenn dies so weitergeht, wird es mit ihm gut gehen. Seine Probleme werden beginnen, wenn durch irgendeinen Zufall etwas mit dem Regierungsapparat schiefgeht.

Vor ein paar Monaten zeigte man Alfie ein altes Exemplar dieses Buches. Es hatte einem deutschen Schüler in den allerersten Jahren des 20. Jahrhunderts gehört, kurz nach der Veröffentlichung. Es war sein Englisch-Lesebuch im Gymnasium und diente offensichtlich dem zusätzlichen Zweck, die Schüler zu ermuntern, sich durch die Augen von anderen zu betrachten.

Robert Burns, Schottlands Volksdichter und bewundert für seine Weltweisheit, würde das gutgeheißen haben. In einem seiner am besten bekannten Gedichte, „An eine Laus", schrieb er:

O wad some Pow'r the giftie gie us
To see oursels as others see us

– wenn uns nur irgendeine Macht die Gabe verleihen würde, uns so zu sehen, wie andere uns sehen!

Eine Bereitschaft, Befehlen zu gehorchen, steht in direktem Kontrast zur Einstellung der Schotten. Wenn die Behörden wollen, dass etwas gemacht wird, was die Leute vielleicht nicht gut finden, dann gibt es eine bessere Erfolgschance, wenn sie ihnen befehlen, es *nicht* zu tun.

Glasgow war einmal ein größeres Zentrum des Schiffbaus. An dem kleinen River Clyde wurde 1934 der größte Ozeandampfer der Welt gebaut, die *Queen Mary*. Sie war beinahe dreimal so lang wie ein Fußballfeld.

In diesen Tagen fand aller Transport von Fahrgästen über weite Strecken mit Linienschiffen statt, und es gab einen imaginären Preis, das Blaue Band des Atlantik, für dasjenige Schiff, das die schnellste Überfahrt von Europa nach New York machte. Deutschland hielt zuerst den Rekord mit der *Europa* (1930), dann der *Bremen* (1933), Italien mit der *Rex* (1933), Frankreich mit der *Normandie* (1935), Großbritannien mit der *Queen Mary* (1938) und schließlich die USA mit der *United States* (1952).

Es war in Glasgow, wo Susi auffiel, dass sie dort oder in Edinburgh keine Straßenbahnen gesehen hatte. Tatsächlich gibt es nirgendwo in Großbritannien welche, außer in einer Stadt an der Küste in England, Blackpool. Sie waren bis in die späten 1950er in allen Städten gewesen, aber dann war man der Ansicht, sie verursachten Verkehrsstau, und sie wurden durch Busse ersetzt. Cians Mama war als kleines Mädchen unglücklich darüber. Eine Straßenbahn musste da hinfahren, wo die Straßenbahnschienen sie hinführten, aber ein Bus konnte sich verirren.

Alfie wollte Susi und Cian ein Gemälde im Museum für Religion neben Glasgow Protestant Cathedral zeigen. Es ist von dem spanischen Surrealisten Salvador Dali, *Christus von St. Johannes am Kreuz*, und wurde Dali 1951 für £ 8.000 abgekauft. Viele aus der protestantischen Gemeinde waren außer sich über das Gemälde und seine Kosten, und es wurde sehr bald mit einem Messer zerschlitzt. Jetzt ist es ein gehüteter Schatz und (beinahe) unbezahlbar. Ein Universitätsprofessor hat jedoch kürzlich gemeint, dass es jetzt ungefähr £ 100.000.000 wert sein könnte und dass es verkauft werden solle, um Glasgow vor dem Bankrott zu bewahren.

Das Museum, das ziemlich neu ist, befasst sich mit den Religionen der Welt, und auch das ärgerte viele engstirnige Protestanten, die wollten, dass es nur sie repräsentierte, trotz der Tatsache, dass Glasgow wie die meisten europäischen Städte jetzt die Religionen der Welt in sich trägt und dass auch sie repräsentiert werden müssen.

Der nächste Halt war die *Gallery of Modern Art*, um die Karikatur-Statue von Queen Elizabeth an der Eingangstür zu sehen. Man muss sich vorstellen, dass es Morgen ist (aber nicht zu früh), und sie ist gerade aufgestanden und ist in Morgenrock, Hausschuhen und Lockenwicklern an die Palasttür gekommen, um die Milch und die Zeitung hereinzuholen, die ausgeliefert worden sind. Sie hat sich die erste Kippe angesteckt, und sie hängt von ihren Lippen. Das ist nicht ganz gerecht, weil sie nicht raucht (ihre Schwester Margaret allerdings genug für beide). Sie hat die Zeitung unter dem Arm und die Milchflaschen in den Händen.

Die Zeitung ist nicht die Times, sondern „Sporting Life", die Bibel derjenigen, die Pferdewetten machen usw.

Von Glasgow fuhren sie 50 km nach Westen zu der Küstenstadt Gourock und schwammen einmal kurz in mexikanischer Suppe, wieder aufgeheizt nach ihrer 10.000-Kilometer-Reise. Gourock rühmt sich des einzigen beheizten Seewasser-Freibads an Schottlands Atlantikküste. Es gibt noch eines in Stonehaven an der Nordsee, aber es gibt keine weiteren irgendwo in Schottland, weder mit Salz- noch mit Süßwasser. Kühle Winde und Temperaturen, die selten über zwanzig Grad liegen, bedeuten, dass es keinen Spaß macht, halb nackt am Wasser zu sitzen, beheizt oder nicht.

Sie nahmen die Autofähre für den halbstündigen Ausflug nach der Isle of Bute, einem hübschen Fleckchen, wo Oma und Alfie für einige Zeit in dem kleinen Ort Rothesay gelebt hatten. Cian hatte Ferien bei ihnen gemacht, als er noch sehr klein war, erinnert sich aber gut daran. Er erinnert sich nicht daran, wie er zum ersten Mal am Strand war, im Alter von neun Monaten, und direkt aufs Wasser zu krabbelte wie eine frisch geschlüpfte Schildkröte. Er konnte mit zwei Jahren schwimmen, und als er vier war, wurde er vom Bademeister eines Hallenbades verwarnt, akrobatisches Tauchen sei nicht erlaubt.

Die Insel hat eine Bevölkerung von ungefähr siebentausend, von denen die meisten in der Stadt leben. Sie wurde vor langer Zeit von den Wikingern besetzt. Ihr Hauptindustriezweig war Fischen, mit etwas Bootsbau, aber beides ist verschwunden. Ihre nächste Industrie als Mekka für Glasgows Arbeiterklasse bei ihrem jährlichen Urlaub ist ebenfalls verschwunden.

Vor über hundert Jahren war die Bevölkerungsquote doppelt so hoch wie jetzt. Auf einem der drei Golfplätze erhebt sich Canada Hill, der höchste Punkt auf der Insel. In viktorianischen Zeiten hieß er nicht so. Er wurde zu Canada Hill und ist es noch, weil dort die Inselbewohner, die zurückgelassen wurden, hingingen, um ihren Lieben auf den fernen Schiffen, die nach USA, Kanada, Australien und Neuseeland fuhren, hoffentlich zu einem besseren Leben, ihr tränenreiches und so gut wie sicher letztes Lebewohl zuzuwinken.

Rothesay Castle ist wie die meisten von Schottlands zweitausend Burgen eine Ruine. Es wurde im 12. Jahrhundert erbaut und im 13. teilweise von den Wikingern zerstört. Schottische Könige benutzten es als Ferienwohnung. Einer mochte es so sehr, dass er seinem ältesten Sohn den Titel *Duke of Rothesay* verlieh. Die Tradition setzt sich bis heute fort, und einer von den Titeln von Prince Charles ist *Duke of Rothesay*.

Schottlands Burgen wurden von internen Fehden zerstört, von englischen Angriffen, schottischen Gegenangriffen, von Wikingern und durch absichtliche Zerstörung, um zu verhindern, dass sie zurückerobert wurden. Kathedralen und Klöster erfuhren eine ähnliche Behandlung. Während der Kämpfe mit Wallace und Bruce riss Edward von England das Blei von den Dächern dreier Kathedralen, um Kugeln zu machen, die abgeschossen werden sollten bei einem Versuch, die Mauern von Stirling Castle niederzureißen.

In Edinburgh Castle befindet sich eine riesige Kanone aus dem 15. Jahrhundert, die in Mons, Belgien, gemacht wurde, liebevoll *Mons Meg* genannt. Sie konnte eine 150 kg schwere Steinkugel mit einem halben Meter Durchmesser fünf Kilometer weit feuern, wenn ihr keine Burg in den Weg kam. Es war die Atombombe des Mittelalters und das rücksichtsvolle Hochzeitsgeschenk eines belgischen Herzogs an den schottischen König, der seine Nichte heiratete. Wie nett von ihm!

Mons Meg wurde nicht oft benutzt. Sie wog sechs Tonnen und brauchte hundert Pferde, um im Tempo von fünf Kilometern pro Tag bewegt zu werden. Wenn sie zu ihrem Bestimmungsort kam, war die Schlacht vorüber. Manchmal kam sie auch gar nicht dort an, weil die Pferde sich sträubten.

Zurück auf dem Festland ist Largs, noch ein Ferien-Seeort, von Gourock aus an der Küste etwas weiter abwärts. Largs ist berühmt für zwei Dinge: Nardinis italienische Eiskrem und die Schlacht 1263, die König Haakon von Norwegen heim zu Mami laufen ließ. Die Schotten hatten Glück. Haakon war am Ende einer Zweitausendkilometerreise mit seinen Wikingern und inspizierte, bzw. plünderte, sein Territorium, als Stürme einige seiner Schiffe ans Ufer trieben und sie zu Wracks machten.

Es gab keine richtige Schlacht. Der König entschied sich zu fliehen, mit dem, was von seiner Flotte übrig war. Er starb auf dem Heimweg, und die Wikinger sagten schließlich all den Inseln nach Hunderten von Jahren der Besetzung Lebewohl.

Susi saß auf einem großen Stein an dem felsigen Strand mit den anderen und genoss ein Nardini-Eis, bevor es nach Edinburgh zurückging. „Das sieht wie der Stein des Schicksals aus, auf dem du da sitzt", sagte Cian, und natürlich wollte das Mädchen auf der Studienreise wissen, was der Stein des Schicksals ist.

„Alfie wird es dir erzählen", antwortete Cian.

Ein großer, heißer Stein

Hunderte von Jahren lang, bis kurz vor 1300 n. Chr., hatte die Zeremonie, schottische Könige zu krönen, stattgefunden, indem diese dabei auf dem Stein des Schicksals saßen. Es ist nicht bekannt, woher der Stein kam; einige sagen, die Kelten hätten ihn aus Irland mitgebracht. Die Krönung eines Königs ohne ihn war undenkbar.

Nach einer blutigen Schlacht, in der König Edward glaubte, er hätte Schottland den K.O.-Schlag versetzt, nahm er den Stein von Scone nach England mit. Dort wurde der 200 kg-Felsen unter den englischen Krönungsthron in Westminster Abbey gelegt, wo seit über 600 Jahren englische Monarchen darüber sitzend gekrönt worden sind. Es hätte keine größere Beleidigung für die stolzen Schotten geben können.

Die Elefanten, die Iren und die Schotten vergessen niemals, und 1950, über 650 Jahre nach dem Diebstahl, fiel einem Universitätsstudenten aus Glasgow namens Ian ein, dass der Felsklotz ihm gehörte und dass er ihn zurückwollte. Er rekrutierte zwei Mitstudenten, Alan und Gavin, und eine junge Schullehrerin, Kay, damit sie ihm halfen, ihn zu holen.

Zusammen müssen sie beinahe eine Stunde damit verbracht haben, sorgfältig einen schlauen Plan auszuhecken, auf den ein Team von achtjährigen Schuljungen stolz gewesen wäre. Gerade vor Weihnachten machten sie sich in zwei Autos ohne Heizung auf die 700-Kilometer-Reise, in einem Land ohne Autobahnen. 24 Stunden ohne Schlaf, stürzten sie sich auf den Abend des 23. Dezember.

Kurz vor sechs Uhr, wenn die Abtei für die Nacht geschlossen wird, ging Ian mit dem Einbruchswerkzeug unter seinem Mantel rein und versteckte sich. Als sich die Türen schlossen und das Licht ausging, zog er seine Schuhe aus und kroch auf eine Tür zu, von der das Team glaubte, sie wäre am leichtesten

zu öffnen. Er sollte sie aufbrechen und Alan und Gavin herein-
lassen, und Kay würde in einem der Autos sein, um den Stein
wegzutragen, wenn sie ihn herausbrachten.

Kinderleicht!

Der Plan funktionierte nicht *ganz*. Innerhalb von Minuten hatte
der Nachtwächter seine Taschenlampe auf Ian und wollte wissen, was er da machte, so im Dunkeln herumkriechend und ohne
Schuhe, nachdem die Abtei geschlossen hatte.

„Ich bin eingeschlossen worden", sagte Ian.

Das ist schließlich möglich.

„Und warum haben Sie Ihre Schuhe ausgezogen?"

„Ich wollte nicht gehört und erwischt werden, weil ich dachte, dass man mir nicht glauben würde, wenn ich sagen würde,
dass ich eingeschlossen worden wäre. Sie würden gedacht haben, ich wollte etwas stehlen."

Der Wachmann sah sich den respektablen, ängstlichen, unschuldigen kleinen Mann mit dem Einbruchswerkzeug unter dem
Mantel an und entschied, dass er harmlos war und die Wahrheit
sagte, obwohl er sich den (falschen) Namen und die Adresse no-
tierte. Er öffnete eine Tür und ließ Ian heraus.

Die Verschwörer verbrachten eine schlaflose Nacht in ihren
Autos zitternd, dann nahmen sie sich fünf Minuten Zeit, um einen neuen Plan zu schmieden. Alle drei Männer würden frühmorgens am Weihnachtstag einbrechen und Kay würde mit einem Wagen bereit stehen.

Sie hatten seit zwei Tagen nicht richtig geschlafen und Kay
fühlte sich nicht gut. Obwohl sie knapp bei Kasse waren, wurde
beschlossen, dass sie die Nacht in einem billigen Hotel in der
Nähe verbringen und dass sie jemand morgens gegen fünf abho-
len sollte, wenn es Zeit für sie war, ihre Rolle zu spielen.

Alles verlief plangemäß, beinahe. Gegen zwei Uhr morgens
brachen sie in den Hof der Steinmetze ein, die die Reparaturen
am Gebäude ausführen, und gelangten zu der schwächsten Tür
der Abtei. Sie konnten von der Straße aus nicht gesehen werden

wegen des Zauns um den Hof und dachten, der Job wäre so gut wie erledigt. Es war Zeit, Kay zu holen, und sie riefen im Hotel an, um Bescheid zu sagen, dass sie kämen. Der Gastwirt dachte sich, dass da etwas faul war, und in der Meinung, dass sie vielleicht ein Auto gestohlen hätten, rief er die Polizei an. Als

Meisterverbrecher

die Polizei ankam, war Ian in einem Auto an der Hoteltür und wartete auf Kay. Die anderen beiden waren im zweiten Auto nur gerade um die Ecke.

„Ihren Führerschein, Sir."

Ian zückte ihn.

„Die Registriernummer Ihres Wagens, Sir!"

„Weiß nicht. Das Auto ist gemietet."

„Von woher, Sir?"

„Kann mich nicht erinnern."

„Haben Sie die Papiere, Sir?"

„Nein, mein Freund hat es gemietet und er hat sie."

„Wo ist Ihr Freund, Sir?"

Das war sicherlich das Ende. Was würden sie denken, wenn er ihnen sagte, dass sein Freund in einem anderen Wagen um die Ecke saß, um drei Uhr morgens am Weihnachtstag?

Offensichtlich dachten sie nicht. Sie gingen um die Ecke und stellten fest, dass Ian die Wahrheit sagte. Sie nahmen nicht einmal die Beschreibung der Wagen und die Namen der Männer auf. Sie kamen zurück und entschuldigten sich bei Ian, hofften, er würde verstehen, dass man dieser Tage nicht vorsichtig genug sein konnte. Es treiben sich eine Menge Diebe herum. Ian verstand. Mit mehr Beamten wie ihnen würden mehr Gauner gefasst werden, sagte er.

Er hatte gesagt, dass er nach Norden nach Schottland reise, und als er mit Kay wegfuhr, musste er mehrere Meilen in diese Richtung fahren, für den Fall, dass man ihm folgte, bevor er zurückkehren und sich den anderen anschließen konnte.

Ian parkte das Auto auf einem Parkplatz dicht bei der Abtei, und dann fuhren sie alle in dem anderen Wagen und parkten ihn in der Privateinfahrt, die zum Hof der Steinmetze führte. Die Männer gingen in den Hof zu der Tür, die aufgebrochen werden sollte, während Kay im Wagen wartete. Der Rest würde leicht sein.

„Gib mir das Brecheisen", sagte Alan zu Ian. Ian sah ein bisschen verlegen aus.

„Ich habe es im Auto auf dem Parkplatz gelassen", sagte er, und rannte fort, um es zu holen.

Sie brachen die Tür auf und krochen, indem sie eine kleine Taschenlampe benutzten, zu dem Stein hin. Er war ziemlich eng zwischen den Beinen des Throns verkeilt, aber er hatte zwei kurze Ketten mit Ringen, die an entgegengesetzten Seiten davon verankert waren, sodass er nach jeder der beiden Seiten herausgezogen werden konnte. Zwei von ihnen schoben auf der einen Seite mit ihren Füßen, und Ian zog an der Kette an der anderen.

Plötzlich stellte er fest, dass er sich frei bewegte, und er war begeistert, bis er sah, dass dies so war, weil ein Viertel des Steins abgebrochen war. Er zog 50 kg und die anderen schoben 150 kg. Sie hatten vorgehabt, das Brecheisen durch die Ringe zu schieben und den Stein wie ein Schwein an einem Bratspieß fortzutragen, aber das war jetzt nicht möglich, deshalb zog Ian seinen Mantel aus und der größere Block wurde darauf gezogen.

Das ging glatt, und Ian ließ die anderen beiden weitermachen, während er mit Mühe das kleinere Stück hochhob und es zum Wagen trug. Kay hatte die hintere Tür geöffnet, und er ließ es auf den Sitz fallen und schloss die Tür. Als er das tat, sah er einen Polizisten die Gasse entlang näher kommen, und er sprang schnell auf den Vordersitz neben Kay und nahm sie leidenschaftlich in die Arme.

Es war Weihnachten. Der Polizist war romantischer Stimmung und verständnisvoll. „Sie sollten nicht hier sein", belehrte er sie. „Dies ist Eigentum der Abtei. Es ist ein Parkplatz in der Nähe, wo Sie so lange kuscheln können, wie Sie wollen." Er zündete sich eine Zigarette an und fing an zu plaudern. Während er das tat, konnten Ian und Kay das Geräusch davon hören, wie die anderen den Stein herauszogen, und fingen an, hysterisch über jeden albernen Witz zu lachen, den der Mann machte; als ein Zeichen für sie, dass etwas nicht ganz in Ordnung war, oder um den Lärm zu ersticken. Schließlich steckte einer von ihnen seine Nase um das Steinmetztor herum und zog sie schnell wieder zurück.

Endlich wünschte der Beamte ihnen fröhliche Weihnachten und ging davon. Sie mussten wegfahren, um nicht seinen Verdacht zu wecken. Sie entschieden, dass sie, was immer jetzt auch passierte, ein Teil des Steins hätten, wenn Kay damit davonfuhr. Nachdem Ian ihn vom Rücksitz genommen und ihn in den Kofferraum gelegt hatte, wo er nicht gesehen werden würde, sollte sie allein zu einer Freundin in Oxford fahren. Später erzählte sie ihm, dass er den Kofferraum nicht richtig geschlossen hätte und dass der Stein unterwegs herausgefallen war. Er war so schwer wie sie, aber sie brachte es fertig, ihn hochzuheben und wieder hinein zu bekommen.

Es war Ians Absicht gewesen, das zweite Auto zu holen und sie auf die Straße nach Oxford zu führen, bevor er zu den anderen zurückkehrte, aber als er in seiner Tasche nach den Autoschlüsseln grub, erinnerte er sich, dass sie in dem Mantel waren, der dazu benutzt wurde, den Stein zu ziehen. Er winkte Kay Lebewohl und eilte zu Fuß zur Abtei zurück. Der Stein war dort, aber keine Freunde und kein Mantel. Sie mussten zum Auto gegangen sein, also ging er zum Parkplatz. Das Auto war da, aber sie nicht, und er sah nicht, dass sein Mantel dahinter lag. Er machte sich Sorgen um den Mantel. Er hatte seinen Namen darin und den Namen des Schneiders, der ihn gemacht hatte.

Das *war* das Ende. Da war der Stein, bereit, aufgelesen zu werden, und kein Mittel, um es zu tun. Er konnte kein Taxi rufen und sagen, er hätte einen 150-kg-Stein bei der Abtei, um sechs Uhr morgens an Weihnachten. Zumindest hatten sie Kays Stück, hoffentlich.

Es fiel ihm dann ein, dass die anderen wohl in seinen Manteltaschen nach den Schlüsseln gesucht und sie nicht gefunden hatten. Konnten sie auf dem Gelände sein, wohin der Stein gezogen wurde? Er klammerte sich jetzt an jeden Strohhalm.

Zurück bei der Abtei, in völliger Dunkelheit abgesehen von einem Streichholz in einer Hand, kroch er dahin, und tastete mit der anderen. Das letzte Streichholz weg und damit alle Hoffnung, stand er auf – und trat auf die Schlüssel!

Halleluja! Von nun an würde es leicht sein. Das Auto holen, den 150-kg-Stein heben und ab. Es würde noch leichter gewesen sein, wenn er nicht seit drei Tagen ohne Schlaf und wenn er ein professioneller Gewichtheber gewesen wäre. Er war einmeterfünfundsechzig groß und wog 60 Kilo. Was ihm zugute kam, war, dass er wie die Spinne war; er wusste nicht, wann er verloren hatte.

Er eilte zum Wagen zurück. Die Batterie war alle, aber er schaffte es, ihn mit der Anlasserkurbel in Gang zu setzen, die alle Autos damals hatten, und fuhr in den Abteihof. Dort rang er mit dem Monster, wuchtete es ins Auto, und ab dafür.

Der Plan war gewesen, nach Süden zu fahren, von Schottland weg, weil man von jedem, der den Stein stahl, erwarten würde, dass er geradewegs nach Norden fuhr. Er fuhr nach Süden und wie durch ein Wunder fand er unterwegs seine Komplizen. Er fragte sie nach seinem Mantel und bekam die Antwort, er sei auf dem Parkplatz. Sie mussten zurückfahren und ihn holen, und es war durchaus möglich, dass dort bereits die Hölle los und massenhaft Polizei aufmarschiert war, aber sie hatten wieder Glück.

Dann ging es nach Süden, um den Stein zu verstecken und nach Schottland zu fahren, mit der Polizei von halb England vor ihnen, bereit, jedem mit einem schottischen Akzent, der nach Norden fuhr, Handschellen anzulegen, und mit Schranken an der englisch-schottischen Grenze, durch die nicht ein Aal hätte schlüpfen können. Sie kamen sicher und gesund zu Hause an.

Eine Woche später kamen sie zurück, um den Stein zu holen. Er lag am Straßenrand, und jetzt kampierten Zigeuner daneben. Was dachten sie wohl, als sie sahen, wie ein nutzloser Steinbrocken in den Kofferraum eines Wagens gelegt wurde? Sie konnten wahrscheinlich nicht lesen und hörten kein Radio, oder hatten keins.

„Das Wunderbare an diesem Märchen ist, dass es keins ist",

sagt Alfie. „Es ist absolut wahr, jedes Wort davon. Bestimmt waren die Engel auf ihrer Seite, Beweis für die rechtmäßige Heimat des Steins, wenn denn einer nötig wäre."

Es waren Weltnachrichten. Es war das Verbrechen des Jahrhunderts. Schotten überall waren aus dem Häuschen. Die Behörden waren außer sich. Die Räuber und ihre Genossen bereiteten eine Petition an König George vor; er könnte den Stein zurückhaben, vorausgesetzt, er würde da gelassen, wo er hingehörte – in Schottland. Es gab keine Antwort. Der König war nicht amüsiert.

Eine Belohnung von 30.000 Pfund, was heute fast eine Million ist, wurde geboten für Informationen, die zur Erfassung der Verbrecher führten, aber obwohl Dutzende, wenn nicht Hunderte von Studenten wussten, wer sie waren, sagte es niemand. Drei Monate später wurden sie gefasst. Sie gaben preis, wo der Stein war, und am nächsten Tag war er wieder in London. Nicht die Rede davon, ihn in Schottland zu lassen.

Die Verbrecher wurden ohne Prozess freigelassen. Wenn nicht, hätte es Krieg gegeben. Sie waren nationale und internationale Helden.

Der Stein wurde zusammengeflickt und dorthin zurückgelegt, wo er nicht hätte sein sollen – unter den Thron in der Abtei. Elizabeth wurde 1953 darüber sitzend gekrönt, zwei Jahre später.

Sie muß Gewissensbisse gehabt haben, weil eines Tages, nach mehr als vierzig Jahren, eine gute Fee ihren Zauberstab über Buckingham Palace schwenkte und einen Zauber über die gute Queen Elizabeth legte, die sich dann schämte wegen dem, was sie getan hatte. Sie befahl, dass der Stein an seinen rechtmäßigen Ort zurückgebracht werden sollte, 700 Jahre, nachdem er von dem boshaften Edward gestohlen worden war.

1996 wurde er zurückgegeben und ist jetzt in Edinburgh Castle. Kay und Ian und Alan und Gavin lebten fortan und für alle Zeit glücklich und in Freuden.

Susi, die immer noch auf ihrem Stein in Largs sitzt mit ihrem Nardini-Eis, fragt sich, was wohl passieren wird, wenn die gute Queen Elizabeth stirbt und Charles gekrönt werden soll. Jahrhundertelang hat die Zeremonie nur in Westminster stattgefunden und der Erbe auf dem Thron über Schottlands Stein gesessen, um symbolisch zu zeigen, dass er oder sie auch dort Herrscher ist. Jetzt, wo der Stein wieder da ist, wo er hingehört, wird Charles da den Nachtzug nach Edinburgh nehmen müssen, in seinem Kilt, um diese Handlung durchzuführen? Und wenn er es nicht tut, wird er Schottlands König sein?

Mary Stuart

Susi übersprang die Brutalität des 14. und 15. Jahrhunderts, obwohl im 15. die Schotten drei Universitäten einrichteten; St. Andrews, gefolgt von Glasgow und dann Aberdeen. Trotz Edinburghs Anspruch, die kulturelle Hauptstadt zu sein, wurde seine Universität erst spät im 16. Jahrhundert gegründet.

Früh im 16. erlitten die Schotten ihre größte Niederlage aller Zeiten gegen die Engländer. Henry VII von England griff Frankreich an und James IV von Schottland als Frankreichs Alliierter griff England an. 10.000 seiner Männer starben in der Schlacht von Flodden im Norden Englands und er mit ihnen.

Die Schotten rechneten damit, von Henry verfolgt zu werden, und in Edinburgh wurde sofort die Arbeit an dem begonnen, was als der Flodden-Wall bekannt werden sollte. Anderthalb Meter dick und über sieben Meter hoch, ersetzte er einen früheren Wall, der ebenfalls als Verteidigung gegen eine englische Invasion von Süden dienen sollte. Die Stadt war bereits im Norden durch einen künstlichen *loch* geschützt, der hundert Jahre zuvor angelegt worden war.

Henry kam nicht, aber beinahe zweihundert Jahre lang begrenzten der Wall und der See die Entwicklung der Stadt auf einen schmalen Streifen von ungefähr hundert Hektar mit der Royal Mile als Rückgrat. Und daher mussten die Gebäude, als die Bevölkerung anwuchs, nach oben statt nach außen wachsen, geradeso wie fünfhundert Jahre später in New York. Obwohl heute keines mehr existiert, wird berichtet, dass einige der Häuserblöcke verrückte vierzehn Stockwerke erreichten.

Nach der vollen Vereinigung von Schottland und England 1707 waren die Verteidigungsanlagen überflüssig. Der Wall wurde abgerissen und aus dem See wurden irgendwann die schönen *Princes Street Gardens*. Der Bau der eleganten „Neustadt", im Norden der alten, begann um 1770, nach einem Architekturwettbewerb.

Aber um zum 16. Jahrhundert zurückzukehren, Susi vergoss eine Träne, als sie von der schönen und tragischen Mary las, die 1542 im Alter von einer Woche Schottlands Königin wurde, nachdem ihr Vater James V nach einem weiteren englischen Angriff gestorben war. Heute ist sie als Mary Queen of Scots bekannt und ist natürlich Schillers Maria Stuart. Sein Drama wurde vor ein paar Jahren beim Edinburgh Festival auf Deutsch aufgeführt.

Wieder einmal wollte ein englischer König, diesmal Henry VIII, dass eine schottische Kind-Königin mit seinem noch kindlichen Sohn verheiratet wurde. Henry war ein Mann, zu dem „nein" zu sagen gefährlich war. Er hatte sechs Frauen gehabt und hatte zwei von ihnen die Köpfe abgeschlagen. Als die Schotten „nein" sagten, zeigte er seine Wut, indem er Schlösser, Kathedralen, Abteien und Städte angriff und zerstörte und dabei Tausende tötete. Trotz des Flodden-Walls und des Sees wurde Edinburgh dem Erdboden gleich gemacht, mit dem Ergebnis, dass es heute keine mittelalterlichen Bauten in der Stadt gibt.

Marys französische Mutter schickte sie zu ihrer persönlichen Sicherheit im Alter von fünf Jahren nach Frankreich, und sie kehrte nicht zurück, bevor sie neunzehn war. Mittlerweile heiratete sie im Alter von fünfzehn Jahren den Erben des französischen Throns, war sechzehn, als ihr Ehemann König wurde, und kurz nach ihrem achtzehnten Geburtstag war sie Witwe.

Als Römisch-Katholische kehrte sie zum schottischen Thron zurück. In ihrer Abwesenheit war Schottland protestantisch geworden und das Parlament hatte erklärt, der Papst hätte keine Autorität in der schottischen Kirche und dass es verboten sei, die Messe zu feiern. Trotzdem feierte Mary in St. Giles die Messe. In der folgenden Woche erklärte der Protestant John Knox, auch in St. Giles, eine Messe sei schlimmer als zehntausend Feinde.

Mary heiratete Lord Darnley, als sie zweiundzwanzig war, aber trennte sich schon nach wenigen Monaten von ihm. Sehr bald danach wurde ihr Sekretär in ihren Gemächern in Holyroodhouse in ihrer Gegenwart von Darnley und mehreren anderen totgeschlagen. Drei Monate später wurde der Junge, der bald James VI von Schottland und später James I von England werden sollte, geboren.

Neun Monate danach wurde Darnley ermordet, wahrscheinlich von Marys Geliebtem, dem Earl of Bothwell. Innerhalb eines Monats heiratete sie Bothwell, der sich erst eine Woche zuvor von seiner Frau hatte scheiden lassen. Knox brauchte sich um seine katholische Königin keine Sorgen mehr zu machen. Die Bluthunde waren hinter ihr her. Sie wurde vor Gericht gestellt, gefangen gesetzt und gezwungen abzudanken. Ihr kleiner Sohn, den sie nie wieder sah, war jetzt König.

Heilige oder Sünderin, Mary war eine schöne junge Frau, die anfangs alle bezauberte, als sie nach Schottland zurückkehrte, elegant, über ein Meter achtzig groß, ernst, aber zur gleichen Zeit das Leben genießend. Sie tanzte gern, und es gibt ein Porträt von ihr, wie sie Golf spielt.

Probier's noch einmal, Schatz!

Sie schrieb Gedichte, größtenteils auf Französisch, und viel von dem, was sie verfasste, hat überdauert. Einige Gedichte sind an Bothwell; glücklich, liebevoll und zärtlich, aber auch mit Traurigkeit, weil er eine Menge Zeit mit der Frau verbrachte, von der er sich hatte scheiden lassen. Später zeigen andere ihre Verzweiflung und Hoffnungslosigkeit als Gefangene.

Gottseidank war das erste Gefängnis kein Käfig. Es war Loch Leven Castle, das Festungs-Heim eines Edelmannes auf einer winzigen Insel im See nicht weit nördlich von Edinburgh. Man findet es auf der Karte, wenn man hinschaut.

Sie brauchte ein Jahr, um zu fliehen.

Für ihren ersten Versuch verkleidete sie sich als Waschfrau, die einen Sack Wäsche von der Insel brachte. Ein Schal bedeckte ihren Kopf und das Gesicht, aber der Bootsmann, der ihre schlanken weißen Hände bemerkte, erkannte, wer sie war, und brachte sie zurück, obwohl er es seinem Herrn nicht erzählte.

Ihr treuer Diener entwarf den Plan, der schließlich Erfolg haben sollte und an dem ein Edelmann am Ufer beteiligt war. Der Diener machte Löcher in alle Boote außer in eins und stahl dann die Schlüssel zum Schlosstor.

Mittlerweile hatte sich Mary, die gesagt hatte, sie ruhe und wolle nicht gestört werden, in Bauernkleider geworfen. Als alles bereit war, gingen sie und der Diener vor aller Augen kühn durch das Schlosstor. Er schloss das Tor hinter ihnen zu und ruderte dann im einzigen unbeschädigten Boot an die Küste. Mary ritt mit ihrem galanten Ritter in schimmernder Rüstung davon.

In einem Märchen wären sie zu ihrem Palast geritten und er würde sie in seinen starken Armen zu ihrem Thron getragen haben. Sie würde ihn zum Prinzen gekrönt haben, und er würde sie um ihre Hand gebeten haben.

Die Wirklichkeit war ganz anders. Mary war ein Flüchtling und lief um ihr Leben. Ihre Unterstützer stellten ein Heer auf, das geschlagen wurde, und sie versuchte, ein Schiff nach Frankreich zu bekommen, aber das schlug fehl. Sie ging nach England, zu Königin Elizabeth Obdach suchend und Hilfe dabei, ihren Thron zurückzubekommen. Sie bekam Obdach, aber als Gefangene. Sie war eine Blutsverwandte von Elizabeth, die glaubte, Mary könnte versuchen, ihre Krone für sich zu beanspruchen.

Nach neunzehn Jahren wurde sie für schuldig befunden, an einer Verschwörung zur Ermordung Elizabeths beteiligt zu sein, und wurde geköpft. Sie war vierundvierzig Jahre alt und hatte fast ihr ganzes Erwachsenenleben als Gefangene verbracht.

Schwimmen mit Lachsen

Cians Brüder, Zwillinge und neunzehn Jahre alt, hatten beschlossen, dies wäre der Tag, wo sie ihn und Susi auf Jugendherbergsfahrt in die Highlands mitnehmen würden.

Susi war natürlich begeistert, dachte aber, sie hätten ihr doch wenigstens einen Tag vorher Bescheid sagen können. Sie waren nicht anders als deutsche Jungen. Wenn sie zum Mond gefahren wären, so hätten sie nur zwei Minuten gebraucht, um ein paar Klamotten in einen Beutel zu werfen und sich auf und davon zu machen.

Die schottischen – *sorry*, irischen Jungen sind auch in anderer Hinsicht wie deutsche; sie sind faul und ihre Zimmer sind immer chaotisch. Sie können nie irgendetwas finden. Bei dieser Gelegenheit war das für Susi ein Glück, denn sie brauchten zwei Stunden, um mit Packen anzufangen, und noch zwei, um die Klamotten zu finden, die sie einpacken wollten. Sie sollten in dem alten Auto der Zwillinge fahren, und es dauerte eine weitere Stunde, die Autoschlüssel zu finden. Schließlich fanden sie sie, im Badezimmer. Noch eine halbe Stunde wurde mit dem Streit darüber verbracht, wer sie dorthin gelegt hatte.

Das gab Susi Zeit zu entscheiden, was sie wohl brauchen würde, und zu packen, vorausgesetzt sie wusste, wo sie hinging und für wie lange. Sie fragte die Jungen und war geschockt zu erfahren, dass sie das noch nicht entschieden hatten. Sie wollten in die Highlands fahren, sagten sie, die zu finden sie sicher waren, und sie hatten keine Vorstellung, wie lange sie bleiben würden, weil das von zu vielen Faktoren abhing; dem Wetter, dem Geld, wie sie zusammen auskamen, dem Verhalten des alten Autos usw. usw.

Sie erinnerte sich dann, dass man Deutsche beschuldigt, jede Einzelheit zu planen, aber wenn etwas schiefgeht, wüssten sie nicht, was sie tun sollten, weil sie das nicht geplant hatten.

Es war Zeit für ein paar offene Worte, und Susi sprach ein Machtwort. Wenn sie in 20.000 Quadratkilometer Ödnis hineinfahren wollten ohne einen Gedanken an einen Bestimmungsort, dann könnten sie das tun, aber sie würde sie nicht begleiten. Als Alternative könnten sie zusammen über Glencoe fahren, den Ben Nevis, Großbritanniens höchsten Berg, ersteigen, über Loch Ness weiterreisen und dann zur Isle of Skye. Sie zeigte ihnen auf der Karte, wo sie hinfahren würden. Wenn etwas schiefginge, sagte sie sarkastisch, so wüsste sie, dass sie sich auf eine Lösung von einem von denjenigen verlassen könnte, die nicht planen.

Die Männer sahen einander an und gaben nicht ein Wort von sich. „Schließlich“, sagten sie später zueinander, „war das genau, was wir vorhatten.“ Wenigstens waren sie einer Meinung darüber.

Nachdem das geregelt war, wurde alles ins Auto geladen und sie wollten gerade abfahren, als Mam mit der Straßenkarte herauskam, die vergessen worden war. Sie schlugen vor, oder, um korrekt zu sein, Susi schlug vor, zu der kleinen Stadt Fort William zu fahren und die Nacht in der Jugendherberge von Glen Nevis zu verbringen. Es ist möglich, im Voraus zu buchen, aber natürlich zogen die Jungen die Erregung vor, nicht zu wissen, ob sie aufgenommen werden würden, und sie hatten ein Zelt und Schlafsäcke, falls nicht.

Heutzutage ist es nicht notwendig, Mitglied des schottischen Jugendherbergsvereins zu sein, um in einer Jugendherberge zu übernachten. Auch muss man kein Jugendlicher sein, außer im Geiste. Jeder, der kein Mitglied ist, bezahlt £ 1 pro Nacht mehr als ein Mitglied. Im Jahr 2000 lagen die Kosten pro Nacht zwischen £ 6 und £ 8. Es gibt ungefähr siebzig Jugendherbergen auf dem Festland und den Inseln.

Die jungen Herren waren liebenswürdig genug, Susi vorne neben dem Fahrer sitzen zu lassen, obwohl liebenswürdig nicht ganz das richtige Wort ist. Sie hatte den Verdacht, es war, weil keiner von ihnen den Lotsen spielen wollte. Susi mochte nicht nur gern Karten lesen und den Weg weisen; es stellte sich auch als die beste Regelung heraus. Wenn sie dem Fahrer zufällig die falsche Anweisung gab, lächelte er bloß und sagte, dass wir alle Fehler machen, aber wenn es einer seiner Brüder gewesen wäre, dann hätte es jedes Mal eine Wortschlacht gegeben. Schon komisch, wie Brüder mit jedermann sonst im Frieden sein und doch miteinander ständig Krieg führen können, dachte Susi, obwohl sie sich zugeben musste, dass das auch bei Schwestern passiert.

Das war für sie eine wunderbare neue Erfahrung. Für gewöhnlich saß sie hinten im Auto und fuhr dahin, wo es hinfuhr. Jetzt war sie vorne und hatte die Kontrolle darüber, wo es hinfuhr. Sie entschied, über Bannockburn und Stirling nach Westen zu fahren, um sich die Denkmäler für Bruce und Wallace anzusehen, die Kriegshelden, die nicht die Bedeutung des Wortes „besiegt" kannten. Sie hatten den Schotten von 1300 n. Chr. bis 1700 n. Chr. weitere vierhundert Jahre Unabhängigkeit von England geschenkt. „Ist vielleicht eine Spur schottisches Blut in ihren Adern?", dachten die Jungen.

In Stirling kletterten sie bis zur Spitze des majestätischen Wallace-Monuments hinauf und gingen in das Museum. Das riesige zweihändige Schwert von Wallace sah aus, als bräuchte es einen Riesen, um es zu schwingen. Susi bekam eine Urkunde, die besagte, dass sie dort gewesen war, und trug sich dann ins Gästebuch ein. Sie hatte sich auch ins Buch beim Bruce-Denkmal eingetragen und geschrieben, dass sie sich für den Rest ihres Lebens an die Geschichte von der Spinne erinnern würde.

Diese Denkmäler für mutige und todesverachtende Männer, die die Engländer bekämpften und besiegten, sind noch nicht alt, daher müssen sie uns etwas über die Gefühle der Schotten im Hinblick auf die Engländer in jüngeren Zeiten sagen. Robert Burns schrieb ein Lied, fünfhundert Jahre nach den Ereignissen, offensichtlich als Würdigung an diejenigen, die im Kampf mit Wallace und Bruce gegen Edwards Tyrannei starben, aber wahrscheinlich drückt es auch seine Gefühle und diejenigen vieler seiner Landsleute gegenüber den Engländern zu seiner Zeit aus.

Der erste Vers des Liedes lautet „Scots wha hae wi Wallace bled" („Schotten, die mit Wallace geblutet haben"), und es gibt heute noch Leute, die es gerne als schottische Nationalhymne haben würden.

Alfie ist keiner von ihnen. Er sagt, dass das Lied, statt patriotisch zu sein, eher ein Schlachtruf sein würde und eine Beleidigung, besonders gegen die Engländer, die ihm sicherlich nicht bei größeren sportlichen Wettkämpfen mit Respekt zuhören würden.

Sie gingen hinauf nach Stirling Castle, noch einer antiken königlichen Residenz, mitten in der Stadt und wie Edinburgh Castle auf einen beinahe unbezwingbaren Felsen hingekauert. Weit unten windet sich der Fluss wie eine Schlange, die den Sand der Sahara durchquert, und Cian erinnert sich, dass seine Mam ihm einmal erzählt hat, wie sie dort als Kind schwamm. Sie wurde nur ein paar Meilen von Stirling entfernt geboren.

Sie gingen hinunter und fanden einen Weg, der zu dem langsam dahinfließenden Wasser führte. Sie kamen zu einem verlassenen Kiesstrand. Der Tag war sonnig und sehr warm. Sie hatten nicht daran gedacht, Handtücher und Badeanzüge aus dem Auto mitzunehmen, aber das hielt Susi und Cian nicht davon ab, ihre Kleider abzuwerfen und sich hineinzustürzen.

Es war ein Wirklichkeit gewordener Traum. Mam hatte den Jungen erzählt, dass, als sie dort schwamm, dreißig Meter weit weg die Lachse sprangen, als wollten sie sich an dem Spaß beteiligen. Und da waren sie wieder. War es derselbe Strand wie der, wo Mam vor dreißig Jahren hinging, und waren das die Enkel von ihren Lachsen? Warum nicht? Jedes Jahr kommen die Lachse von fernen Meeren zu demselben Fluss zurück, um zu laichen.

Als sie aus dem Wasser kamen, sich wie Hunde trocken schüttelten und sich anzogen, schaute Susi auf ihre Uhr und stellte fest, dass ihr Plan, an diesem Tag noch zur Glen Nevis-Jugendherberge zu gelangen, unmöglich war. Wie alle Deutschen, wenn der Plan zusammenbricht, brach sie zusammen, und es wurde den brillianten Gehirnen derjenigen überlassen, die keine Pläne schmieden, eine Lösung zu finden. Sie hatten eine! Sie würden im Zelt auf dem Feld beim Strand schlafen.

Ohne!

Die Zwillinge schlugen vor, das Zelt aufzustellen, während Susi und Cian nach Stirling hineingingen, um etwas zu essen zu holen. Supermärkte in Großbritannien sind bis neun Uhr geöffnet. Als sie eine Stunde später zurückkamen, lag das Zelt in einem Haufen auf dem Boden, und die jungen Männer saßen daneben. Beim Öffnen des Zeltsacks hatten sie entdeckt, dass die Hälfte der Heringe fehlte, und mittlerweile hatten sie aufgehört, darüber zu streiten, wer das Zelt zuletzt benutzt hatte.

Cian kam mit seinem Schweizer Armeemesser zur Rettung. Wahrscheinlich sind die einzigen männlichen Wesen auf der Welt, die noch nie ein Schweizer Armeemesser besessen haben, Soldaten der Schweizer Armee. Das von Cian ist so dick wie eine Bockwurst und hat ungefähr hundert Werkzeuge, von denen fünfzig nur geheimnisvollen Zwecken dienen. 45 der verbleibenden werden wahrscheinlich nie benutzt werden, sodass ein Werkzeug mit fünf Klingen bleibt, das zehnmal so viel kostet und wiegt wie nötig.

Cians Schweizer Messer ist aus Hongkong. Es sieht aus wie das echte, kostet aber zwei Pfund statt zweiundzwanzig. Er ging jetzt weg und kam mit sehr selbstzufriedenem Gesicht zurück; er trug ein Dutzend hölzerner Zeltpflöcke, die er gemacht hatte. Jetzt würden nur 94 Klingen nie benutzt werden. Er hatte eine Verwendung für die Klinge mit der Säge gefunden.

Das Zelt aufgestellt, setzten sie sich im Freien zu ihrer Mahlzeit nieder, als es einen ziemlich unangenehmen Geruch gab, den niemand erwähnen mochte. Plötzlich sprang einer der Zwillinge mit einem Geheul auf. Ringsum gab es Anzeichen dafür, dass sie das Feld mit Kühen teilten, und er hatte sich auf etwas ziemlich Feuchtes gesetzt. Seine gar nicht netten Brüder konnten nicht aufhören zu lachen, während er sein Hemd herunterriss und einen Hechtsprung in den Fluss tat, um sich und seinen Hosen ein Bad zu gönnen.

Und so endete ein herrlicher Tag.

Es war neun Uhr morgens und schon Tageslicht, als Susi wach wurde von dem Geräusch von Grunzen und von jemand oder etwas, das gegen das Zelt stieß. Sie steckte ihren Kopf raus und zog ihn wieder ein, schreiend. Sie waren umgeben von einer Herde prähistorischer Monster mit braunen, zottigen Fellmänteln wie dichtes Pampasgras und Hörnern, die einen spanischen Torero zu Tode ängstigen würden und auch sein Pferd!

Die Jungen sahen nach draußen und versicherten Susi, es gebe nichts zu fürchten. Dies wäre Hochlandvieh, gezüchtet, um im Winter im Freien zu bleiben, und nicht gefährlicher als anderes. Susi war nicht überzeugt. „Warum brauchen sie solche Hörner, wenn sie nicht vorhaben, sie zu benutzen?", fragte sie.

Unheimliche Begegnung der dritten Art

Das war eine gute Frage, und die Jungen, wenn sie ehrlich sein sollten, würden zugegeben haben, dass auch ihnen nicht gerade gemütlich war. Die einzigen Male, wo sie die Rinder gesehen hatten, war das von der anderen Seite eines Zauns aus gewesen. Sie waren erleichtert, als sie mutig nach draußen traten und die neugierigen Tiere sich scheu zurückzogen. Sie waren so ängstlich wie Lämmer.

Angst oder keine Angst, es hatte keinen Sinn, länger zu bleiben. Cian nahm Susi zur Sicherheit des Autos mit und die Zwillinge packten das Zelt zusammen und folgten. Cian ging zurück, um die Zeltpflöcke zu holen, die sie wie gewöhnlich vergessen hatten.

Vor dem Weiterfahren beschlossen sie, sich in Stirlings Hallenbad frisch zu machen und dann im Restaurant eines Supermarkts zu frühstücken. Alle größeren Supermärkte haben heute Restaurants, die gutes, einfaches Essen zu einem vernünftigen Preis anbieten. Eine der Ketten beschreibt ihr schottisches Frühstück als „Die großen Sieben", womit gemeint ist, dass auf dem Teller sieben gebratene Delikatessen liegen werden.

Susis Plan hatte sich nicht geändert, obwohl sie einen Tag später dran waren als geplant. Sie reisten nach Norden durch den Glencoe-Pass, und als sie dorthin kamen, waren die schönen, aber düsteren und kahlen Berge halb in einen geisterhaften Nebel getaucht. Das Tal von Glencoe ist geisterhaft und auch traurig. Dort wurde vor dreihundert Jahren ein Clan ohne Vorwarnung mörderisch von den Mannen des Königs angegriffen, und alle männlichen Clanangehörigen zwischen sieben und siebzig Jahren wurden wie Tiere abgeschlachtet. Der einzige Grund war, den Highlandern überall zu zeigen, dass Englands König auch der von Schottland war und was passieren würde, wenn sie nicht gehorchten.

Noch weiter liegt die Stadt Fort William, die ihren Namen von dem König hat, der für das Massaker von Glencoe verantwortlich ist. Er hatte dort eine Festung mit einer Mannschaft, die die wilden Männer in Kilts kontrollieren sollte.

Fort William liegt am oberen Ende eines Meeres-*loch* vom Atlantischen Ozean. Es liegt am Südwestende von dem, was als „the Great Glen", der Große Glen, bekannt ist. Die Stadt Inverness befindet sich an der Mündung des River Ness zur Nordsee, am Nordostende des Großen Glen.

Vor vielen Millionen Jahren brach ein Erdbeben die spröde Kruste der Erde entlang einer geraden Linie auf, die durch das läuft, was heute Fort William und Inverness ist. Sehr viel später, in der Eiszeit, höhlten Gletscher den geschwächten Felsen entlang des Bruchs aus und trugen ihn ab, ein Tal hinterlassend, den Großen Glen. Heute gibt es eine Linie von drei schmalen *lochs* im Glen, miteinander durch seichte Flüsse verbunden.

Der längste, am besten bekannte und tiefste ist der Loch Ness. Mit 240 Metern ist er tiefer als irgendein Punkt in der Nordsee zwischen Schottland, Dänemark und Deutschland. Ein Monster könnte sich dort ganz bestimmt verstecken. Es würde nicht erfrieren, weil Loch Ness nie zufriert. Er ist so schmal und tief, dass Konvektionsströme ständig kaltes Wasser herunter und etwas wärmeres Wasser, das seine Temperatur von den Felsen bezieht, herauf tragen.

Es gibt mehrere größere Kanäle zwischen Ozeanen und Meeren in der Welt, die gebaut wurden, um die Entfernungen, die Fracht- und Passagierschiffe zurücklegten, um ihre Zielorte zu erreichen, zu verkürzen; z.B.: 1914 wurde der Panamakanal, der den Atlantik mit dem Pazifik verbindet, eröffnet. 1895 wurde der Nordostseekanal zwischen der Nordsee und dem Baltischen Meer eröffnet. 1869 wurde der Suezkanal zwischen Mittelmeer und Indischem Ozean eröffnet. 1833 wurde der schwedische Gottakanal zwischen der Nordsee und dem Baltischen Meer eröffnet.

Und was 1822 alles in Gang brachte, war der Kaledonische Kanal im Großen Glen, der den Atlantik mit der Nordsee verband. Kaledonien war der Name, der Schottland von den Römern verliehen wurde.

1803 wurde die Arbeit an den 30 Kilometern Kanäle begonnen, die die 60 Kilometer der drei *lochs* miteinander und mit dem Meer verbanden. Diese und die 29 Schleusen an den Kanälen würden die Durchfahrt der größten Segelschiffe gestatten, sodass Marine- und internationale Frachtschiffe von Europa und Amerika dorthin gezogen werden würden, statt das trügerische *Cape Wrath* (Kap Wut) im Norden zu umschiffen, wo der Atlantik und die Nordsee zusammenkommen und einander wie auch vorüberziehende Schiffe bekämpfen.

Die Dinge gestalteten sich ganz anders.

1803 gab es nicht ein einziges Dampfschiff auf der Welt, aber am Tage der großen Eröffnung 1822 hatte der winzige Ruderdampfer *Komet*, eines der ersten dampfangetriebenen Schiffe der Welt und 1811 in Schottland erbaut, einen Ehrenplatz bei der zeremoniellen Durchfahrt durch den Kanal. Man hatte nicht die geringste Ahnung, dass der Schlot der *Komet* ein Rauchsignal ausstieß, das verkündete, dass sie der Anfang vom Ende des Kanals als internationalem Wasserweg war.

Schon bald sollte das kleine Mädchen heranwachsen und groß und stark werden, um Kinder hervorzubringen, die noch größer und stärker waren und die sich nicht durch die Kanäle zwängen oder in die Schleusen einfahren konnten. Sie brauchten es auch nicht zu versuchen. Sie hatten keine Angst vor Cape Wrath.

Nur drei Jahre nach der Eröffnung des Kanals kam ein riesiges Dampfschiff an, das aussah, als müsste die Farbe abgekratzt werden, um es durch die Schleusen zu bringen. Es schaffte es, aber von dieser Zeit an mussten die stolzen Besitzer der Wasserstraße mit sterbenden Segelschiffen, Fischerbooten und kleineren Dampffrachtschiffen zufrieden sein.

Gottseidank starb der Kanal nicht mit den Segelschiffen. Er wird immer noch benutzt, sodass man von privaten Yachten und Touristenkreuzern aus die wunderschöne Landschaft genießen kann.

Es steht nicht im Guinness-Buch der Rekorde, aber es waren wahrscheinlich Fischerboote, die versuchten, in den Kaledonischen Kanal bei Inverness zu kommen, die den ersten 10 km langen Verkehrsstau der Welt verursachten. Um 1870 erschien plötzlich ein enormer Heringsschwarm vor der Westküste von Schottland. Die Nachricht verbreitete sich blitzschnell nach Osten. Ebensoschnell waren 500 Fischerboote vor Inverness und warteten, bis sie an der Reihe waren, in die erste Schleuse zu gelangen, um auf ihre Reise zu starten, und es gab noch 28 weitere Schleusen, alle handbetrieben, bevor man den Hering erreichte. Zu jener Zeit war die gewöhnliche Anzahl von Booten bei Inverness an einem Tag zehn.

Die jungen Leute gingen in einen Geschenkeladen in Fort William, um sich ein paar Fotopostkarten zu besorgen. Ein älteres deutsches Paar, das, ungewöhnlich für Deutsche, die Großbritannien bereisen, nicht ein Wort Englisch sprach, mühte sich ganz furchtbar ab in dem Versuch, mit Zeichensprache zu sagen, was sie haben wollten, und erhielt keine Hilfe von einer jungen Verkäuferin, die sich bereits in den Kopf gesetzt hatte, dass sie sie nicht verstehen würde.

Die Frau hatte Postkarten in der Hand und leckte ihren Daumen, drückte ihn auf eine Karte und sah das Mädchen fragend an, das die Geste mit einem verständnislosen Lächeln erwiderte. Der Mann versuchte es seinerseits, indem er eine Karte in die eine Hand nahm und sie durch die leicht geöffneten Finger der anderen rutschen ließ, als wolle er sie aufgeben, dann zur Tür blickte und mit einem bittenden Ausdruck auf dem Gesicht nach links und rechts sah. Der Gesichtsausdruck des Mädchens war immer noch verständnislos, aber sie lächelte nicht mehr. Der Versuch des Paares, einen Kugelschreiber zu bekommen, indem sie mit einem Finger auf eine Karte kritzelten und dann im Laden herumsahen, war genauso fruchtlos. Das Mädchen war schon bereit, „Hilfe" zu rufen, als Susi hereintrat. Sie verschaffte dem Pärchen einen Kugelschreiber und sagte ihnen, dass das Postamt nur ein paar Türen weiter wäre. Sie sagte ihnen auch, dass, obwohl viele Läden, die Karten verkaufen, auch Briefmarken verkaufen, wenn die Karten in verschiedene Länder geschickt würden, es leichter wäre, sie alle dem Schalterbeamten im Postamt zu übergeben, der ihnen die richtigen Briefmarken geben würde, ohne dass man ein Wort sagen müsste. Es war das erste Mal, dass sie erkannte, wie schwierig es sein musste, in einem Land zu reisen, wo man weder verstanden wird noch etwas versteht.

Sie kaufte selbst Karten, von Hochlandvieh, und dann holten sie sich etwas Obst, Brötchen, Käse und Milch, um am Rande des *loch* zu picknicken. Es war ein warmer Tag, und Susi tauchte ihre Zehen ins Wasser, um zu testen, ob man darin schwimmen könnte. Sie froren beinahe steif. Highland-*lochs* sind Orte, wo der Golfstrom nur hingelangt, wenn er vom Himmel fällt.

Sie schrieb ein paar Karten und erzählte die Geschichte von dem Vieh beim Zelt, während die Jungen taten, was Jungen in jedem Alter oft tun, wenn sie auf einem Kiesstrand am Wasser sind: sie ließen Steine darüber hüpfen. Komisch, dass Mädchen das nicht tun.

Nach deutscher Gewohnheit bat sie sie, ihre Namen auf die Karten zu setzen, die sie geschrieben hatte, aber sie konnten nicht einsehen warum, weil ihnen diejenigen, an die die Karten waren, fremd waren. Sie erklärte, dass dies eine Art sei, neue Freunde alten vorzustellen und die Letzteren wissen zu lassen, dass sie sich hier unter Freunden befand. Das schien ihnen Sinn zu machen. Danach kriegte sie jeden von ihnen dazu, ein paar Worte auf eine Karte an ihre Mam zu setzen, die alle vier unterschrieben.

Sie gingen früh zur Jugendherberge in Glen Nevis, um sicherzugehen, dass sie ein Bett für die Nacht bekämen. Sie bekamen für £ 50 ein bequemes Familienzimmer. Alfie hatte Cian gesagt, dass sie vielleicht kostenlos unterkommen würden, wenn sie sich darauf einstellen würden, am Morgen, bevor sie fortgingen, eine Stunde mit Abwaschen und Saubermachen zu verbringen, und er fragte den Herbergsvater, der lachte und wissen wollte, wer ihm das erzählt hätte. Als er sagte, es sei sein Großvater gewesen, erwiderte der Herbergsvater, Großvater müsse wohl Methusalem sein. Das wurde vor langer, langer Zeit eingestellt.

Übrigens, es gibt eine sehr komfortable Jugendherberge in Edinburgh in einem sehr guten Viertel der Neustadt, Tür an Tür mit dem deutschen Konsulat. (Pro Übernachtung mit Frühstück DM 40,-- bis 50,--, Tel.: 0131-3371120.)

Als sie eingecheckt hatten, wollte Cian nach Fort William zurückgehen, um „Neptuns Treppe" zu sehen. Von der See bei Fort William aus müssen die Boote zwanzig Meter bis zum ersten Kanal angehoben werden. Das macht man mit acht Schleusen von einem bis zum anderen Ende, sodass ein Boot direkt von einer Schleuse zur nächsten angehoben wird.

Es ist eine Wassertreppe, und sie wurde so gebaut, um Zeit und Geld zu sparen. Schleusentore waren teuer und mussten zu der Zeit auch per Hand geöffnet und geschlossen werden. Wenn es acht separate Schleusen gegeben hätte, wären acht Paar Tore, insgesamt also sechzehn, erforderlich gewesen. Indem man sie zusammen hatte und Boote direkt von einer Schleuse in die nächste gelangten, wurde das zweite Tor der ersten zum ersten der zweiten, und so wurden nur neun Tore gebraucht.

Zurück in der Jugendherberge an diesem Abend hatte Susi Glück. Es war ein schottisches Wunderkind mit einer Fiedel da, das Volksmusik in einem verrückten Galopp spielte und dabei von einer jungen Frau mit nostalgischem Gesang begleitet wurde. Viele von diesen alten schottischen Balladen haben mit dem Weggang geliebter Menschen und einer Sehnsucht nach daheim zu tun. Später lieh sich ein irisches Mädchen das Instrument. Ihre Finger und der Bogen blitzten über die Saiten, während sie der Musik ein irisches Flair gab. Sie erinnerten Susi an die Hillbilly-Musik in alten amerikanischen Filmen, und ihr wurde klar, dass die Hillbillies beinahe sicher Abkömmlinge der emigrierten Schotten und Iren waren.

Es war wieder ein sehr schöner Tag gewesen, aber es war Zeit, zu Bett zu gehen und dann früh aufzustehen, wenn sie am Morgen Großbritanniens höchsten Berg besteigen wollten.

Obwohl er Großbritanniens höchster Berg ist, ist der Ben Nevis mit 1.300 Metern ein Maulwurfshügel verglichen mit dem Everest mit beinahe 9.000, und er besitzt nur ein Drittel der Höhe des Mont Blanc.

Bergketten wie der Himalaya und die Alpen sind spektakulär, aber es ist etwas Romantisches an den schottischen Highlands, das nichts mit der Höhe der Berge zu tun hat. Einige von ihnen und die Täler und Hänge sind kahl, andere sind grün und wieder andere, mit ihren Dutzenden von Schattierungen von Weiß, Blau und purpurner Heide und gelbem Ginster, sehen aus, als wären sie von Engeln gemalt worden.

Hier und dort auf den Hängen der Hügel sind Gruppen von halb vergrabenen Steinen, die Ruinen primitiver Katen von lange verschwundenen Kleinpächter-Familien. Wohin gingen sie? Warum verließen sie diese friedlichen Orte?

Die Antwort ist einfach: Sie wurden vom großen Geschäft, vom „big business", wie wir heute sagen, vertrieben. Das Leben war für diese Kleinbauern immer hart gewesen, aber es wurde noch härter. Sie hatten kaum genug Land, um Nahrung für ihre Familien zu produzieren und die Miete des Grundbesitzers zu bezahlen, mit einem mageren Überschuss, um andere Güter einzuhandeln oder ihn zu verkaufen, um Kleidung, Töpfe und Pfannen usw. zu kaufen.

Im späten 18. Jahrhundert hatte im Süden die Industrielle Revolution begonnen. Es gab ein ständig anwachsendes Bedürfnis nach Nahrung für die wachsende Bevölkerung und für bestimmte Rohmaterialien für die industrielle Produktion. Die Kleinpächter konnten weder noch bereitstellen, aber beides konnte mit ein bisschen Phantasie und einer Menge Arbeitern beschafft werden.

Erstens schäumten die Meere über von Fisch und es brauchte nur Fischer, sie zu fangen. Zweitens war Seetang ein wertvolles Material, das zur Glasherstellung und zu anderen Prozessen sowie als Dünger gebraucht wurde. Es war genug von diesem Zeug für Ewigkeiten vorhanden und es war nur die ungelernte Arbeit von Frauen und Kindern nötig, um es zu sammeln, zu trocknen, zu verbrennen, die Asche in Säcke zu füllen und es zum Transport zu verladen. Man kann sich vorstellen, wie angenehm diese Arbeit war.

Eines der ersten Dinge, die die Landbesitzer taten, war, die Größe der Güter der Kleinpächter zu verringern, sodass sie nicht überleben konnten, ohne (für die Landbesitzer) als Fischer und Seetang-Sammler für sehr wenig Geld zu arbeiten. Einige wurden aus ihren Pachten an Orte in größerer Seenähe umgesiedelt, wo sie sich wieder einen Unterstand bauen und neues Land kultivieren mussten.

Viele der Kleinpächter, besonders von den Inseln, hatten lange genug gekämpft. Sie begannen nach Amerika und Kanada auszuwandern. Dort in den weiten offenen Räumen konnten sie ihre eigenen Gälisch sprechenden Gemeinden gründen, statt sich im industriellen Tiefland von Schottland als Fabrikarbeiter anzusiedeln, wo die Menschen eine fremde Sprache sprechen: Englisch.

Auf Cape Breton Island in Kanada z.B. sind die heutigen Einwohner, deren Vorfahren dort vielleicht vor zweihundert Jahren hingingen, mit ihren Dudelsack-Bands, ihren Tänzern und Gälischen Gesellschaften mehr *highland* als viele Hochland-Schotten.

Im frühen 19. Jahrhundert fiel der Preis von Seetang, bis es nicht länger lohnte, ihn zu sammeln, und die Landbesitzer begannen, die Kleinpächter zu vertreiben, indem sie ihre Wohnungen niederbrannten und das Land an Schafzüchter aus dem Süden verpachteten. Das führte zu großen Härten und Elend, wie auch die regelmäßigen Missernten im Kartoffelanbau, der Grundnahrung der Kleinpächter, was zu noch mehr Emigration führte, häufig verhungernden und halb nackten Menschen gegen ihren Willen aufgezwungen.

Zur selben Zeit wurden riesige Flächen Landes von Schafen übervölkert. Die Weiden wurden schließlich zerstört, zur Heide, und Ginster breitete sich aus, bis das Land aussah, als wäre es „von Engeln gemalt worden".

Mit diesem Wissen ist es nicht so leicht, sich an der Aussicht zu erfreuen, wenn man den Ben Nevis ersteigt, und mit Susis plastischer Vorstellungskraft und ihrem Mitgefühl für die Entbehrungen unserer Vorfahren ist es ebenso gut, dass sie es nicht wusste.

Es gibt zwei Wege zum Gipfel; einer kurz, einer lang. Der kurze Weg führt die Vorderseite des Kliffs hoch und ist für erfahrene Felskletterer. Der lange Weg ist eine Wanderung den Hang hinauf und ist für die Fitten und Abenteuerlustigen zwischen acht und achtzig. Es gibt einen Trampelpfad die meiste Wegstrecke über, an den Erwachsene sich halten. Die Jüngeren denken gerne, dass sie Großbritanniens höchsten Berg besiegen, und bevorzugen Abkürzungen steile Felsschleifen hoch, um es mehr zu einer Leistung zu machen. In Gipfelnähe liegt das vor sich hin rostende Wrack eines alten Autos, vielleicht dort hinaufgezogen, um Geld für einen wohltätigen Zweck zu sammeln, es hat dann aber wohl nicht ganz den Gipfel erreicht.

In Großbritannien ist es zur Gewohnheit geworden, sinnlose Aufgaben durchzuführen, um Geld für gute Zwecke aufzubringen, während es dem deutschen Denken vernünftiger erscheinen würde, etwas Nützliches zu tun. Was für einen Sinn hat es, wenn ein Franzose gesponsert wird, damit er einen Kilometer weit wie ein Frosch hüpft, um Geld für die Gesellschaft zur Verhinderung von Grausamkeit gegenüber Fröschen zu sammeln? Warum bringt er das Geld nicht zusammen, indem er verspricht, ein Jahr und einen Tag lang keine Froschschenkel zu essen?

Es ist erregend, auf dem Gipfel der Welt zu stehen – so wirkt es wenigstens, weil man auf alles heruntersieht, so weit das Auge schauen kann. Hier ist also ein weiterer Schnappschuss für Susis Album. Sie hatten den höchsten Berg im bergreichen Schottland erstiegen und wenn sie den Beweis hervorholt, braucht sie ihren Freunden nicht zu sagen, wie hoch er ist, solange man sie nicht fragt. Sogar dann noch kann sie sagen, dass sie sich nicht erinnern kann. Der Papa der Jungs hatte ihnen zu ihrer Sicherheit ein Mobiltelefon mitgegeben und sie fragten Susi, ob sie gern ihre Mama anrufen würde, um ihr zu sagen, wo sie wäre. Nicht viele deutsche Mamas können von ihren Töchtern vom Gipfel von Schottlands Welt gehört haben.

Es hatte fünf Stunden gedauert, dorthin zu kommen, und es dauerte weniger als zwei, wieder herunterzukommen. Zurück in Fort William besorgten sie sich Essen für ein weiteres Picknick am *loch*, als Susi einen Aushang sah, dass an diesem Nachmittag „Highland-Spiele" stattfinden sollten, und da sie Susi war, wollte sie wissen, was das bedeutete. Die Jungen entschieden, dass es einfacher sein würde, hinzugehen und es sich anzugucken, statt zu versuchen, es zu erklären.

Die Spiele werden einmal im Jahr in über zweihundert Städten und Dörfern in ganz Schottland abgehalten. Sie sind die Olympischen Spiele des Hochlands und bestehen vor allem aus Sportwettbewerben, in denen junge Männer den Damen ihre Kraft und Geschicklichkeit zeigen können. Viele der Wettkämpfer sind wie die Straßenpfeifer Edinburghs von der zweiten Sorte: riesig und haarig, Kilts tragend und nicht viel sonst.

Sie waren nie als Touristenattraktion geplant, aber jetzt sind sie es. Das berühmteste von ihnen ist in Braemar und ist bekannt als *Braemar Gathering*, Zusammenkunft von Braemar. Es wird jedes Jahr während der jährlichen Ferien in Queen Victorias geliebtem Balmoral Castle, welches in der Nähe liegt, von dem regierenden König oder der regierenden Königin besucht.

Das Ereignis für „richtige" Männer ist „den Pfahl werfen", wobei der Pfahl ein Kiefernstamm von etwa fünf Metern Länge ist und siebzig Kilogramm wiegt. Der Wettkämpfer hat – ohne Hilfe – den Stamm anzuheben, bis er senkrecht über dem Boden steht, ihn dann hochzuheben, immer noch in der senkrechten Position, und steht am Ende mit am Körper heruntergestreckten Armen und unter der Basis verschränkten Händen da, der Stamm auf Bauch, Brust und Schultern ruhend. Wenn er noch nicht kollabiert und gestorben ist, kann er jetzt anfangen.

Sachte, sachte!

Er stolpert vorwärts, die Augen treten ihm aus dem Kopf, mit einem Gesicht wie eine Rote Bete und die Adern in seinem Nacken wie angespannte Peitschenschnüre, die jeden Augenblick platzen können. Langsam steigert er sein Tempo, bis er in einem beinahe nicht mehr zu steuernden Schlurfschritt ist, dann lehnt er sich leicht nach vorne, sodass der Baumstamm überzukippen beginnt. All das entspricht dem Anlauf eines Speerwerfers. Wenn der Stamm nach vorne fällt, gibt es einen ganz bestimmten Augenblick, in dem der mächtige Mann seine Ellbogen beugt und mit seinen gewölbten Händen nach oben stößt, in einem Versuch, dem Flug des Stamms einen Bogen zu geben, sodass er wie ein Dolch landet. Er durchbohrt natürlich nicht den Boden und es ist beabsichtigt, dass sein Vorwärtsschwung und seine Drehung ihn herumschwingen lassen wie den Zeiger einer Uhr, bis er in der „Zwölf Uhr"-Position auf dem Boden liegt.

Wenn mehr als ein Wettkämpfer beim Erreichen dieses Ziels Erfolg hat, ist der Gewinner der Mann, dessen Stil man als den besten beurteilt.

Der wahrscheinliche Ursprung dieses albernen Wettkampfs macht ihn nicht ganz so albern. Als Bäume in Wäldern in der Nähe von Flüssen gefällt wurden, wurden die Stämme von Pferden zum Flussufer gezogen, um flussabwärts zur Sägemühle geflößt zu werden. Wenn sie von Männern am Flussufer gehoben wurden und so weit wie möglich mitten in die Strömung geworfen wurden, bestand weniger Aussicht, dass die Stämme sich verkeilten. Offensichtlich waren einige Männer besser als andere und es ist nicht schwer, sich freundschaftliche Rivalität und Wettbewerb zwischen ihnen vorzustellen, um herauszufinden, wer der Beste war.

Die Spiele haben noch eine andere, sanftere Seite, die Susi vorzog, und das ist Highland-Tanz. Er findet zur selben Zeit statt wie der Sport, aber auf einem anderen Teil des Feldes. Die Wettbewerbsteilnehmer sind heute gewöhnlich Mädchen im Alter zwischen sechs und sechzehn, aber früher haben viele Jungen teilgenommen. Tatsächlich gaben an diesem besonderen Tag zwei Männer eine glänzende und athletische Vorführung. Alle Tänzer sind in Highland-Dress und wetteifern in verschiedenen Altersgruppen, wobei alle Mitglieder einer Gruppe zusammen zur Musik eines Dudelsackpfeifers tanzen.

Es ist ein farbenprächtiger und anmutiger Wettbewerb, besonders zwischen den größeren Mädchen. Die Zuschauer sind größtenteils andere Tänzer und weibliche Verwandte. Die erfolgreicheren Mädchen reisen im Sommer zu so vielen Wettbewerben wie möglich, und weil die Preise gewöhnlich Medaillen sind, die sie stolz tragen, werden sie beim Tanzen oft von der Last ihrer Trophäen zu Boden gezogen.

Cian erzählte Susi, dass der irische Tanz sich vom schottischen unterscheidet. Die Iren tragen feste Schuhe, wie Stepptänzer, und machen eine Menge Lärm, während die Schotten weiche Schuhe haben wie Balletttänzer und schweigen. Beide stehen beim Tanzen meistens auf einem Fleck, aber die Iren haben die Arme dabei an den Seiten und die Schotten setzen ihre ein wie Balletttänzer.

Das letzte Sportereignis des Nachmittags war ein Tauziehen und die Organisatoren hatten den Fehler gemacht, ein Team von Rugby-Spielern aus Edinburgh einzuladen, sich einen Wettkampf gegen ein Team von örtlichen *Shinty*-Spielern zu liefern. Shinty ist eine wilde Art von Hockey, die Männer spielen, und es ist in den Highlands und auf den Inseln populärer als Fußball. Rugby erscheint denen, die die Regeln nicht kennen, wie ein gewalttätiger Kampf zwischen zwei Banden von Hooligans um einen eiförmigen Ball, wobei die Bande, die sich durchsetzt, damit davonrennt. Sie werden stets wieder eingefangen, und der Kampf bricht erneut aus.

Es gibt Regeln, die deutlich machen, dass es kein Bandenkampf ist. Wenn z.B. die Spieler in einem Haufen am Boden liegen und darum kämpfen, den Ball zu fassen zu kriegen, können diejenigen, die immer noch auf den Beinen stehen, mit ihren genagelten Schuhen auf den Körpern ihrer Gegner herumtrampeln, aber nicht auf ihren Gesichtern. Sie dürfen die Körper von Gegnern an den Haaren aus dem Haufen herausziehen, aber nicht an den Ohren. Auch dürfen sie nicht in Ohren beißen.

Dieses Spiel, für junge Herren, nahm seinen Ursprung in einer Nobelschule für die männlichen Kinder der Gutbetuchten in der englischen Stadt Rugby 1823. Während eines Fußballspiels griff sich ein Junge den Ball und rannte damit weg, verfolgt von anderen, die kämpften, um ihn zurückzubekommen. Aus irgendeinem unbekannten Grund war damit ein neues Spiel geboren.

Die Shinty-Spieler bekamen einen Schock, als sie das Rugby-Team sahen. Es waren riesige Bestien, von denen alle über 100 kg wogen und manche sogar 120 kg. Einige waren zwei Meter groß und andere ziemlich klein, ungefähr einssiebzig. Die Kleineren hatten keine Nacken und die Köpfe wuchsen ihnen direkt aus den Schultern. Mehrere hatten groteske Blumenkohlohren (der Begriff „Blumenkohlohr" ist im Englischen schon immer dazu benutzt worden, das verstümmelte Ohr eines Boxers zu beschreiben. Er ist viel plastischer als „Boxerohr").

Es war für die Zuschauer, die Organisatoren und traurigerweise auch die Shinty-Spieler offensichtlich, wer gewinnen würde, aber der liebe Gott hatte anderes im Sinn. Gerade als der Wettstreit beginnen sollte, öffnete er die Himmel und der weiche Boden wurde nach dem ersten von drei Zügen, der mühelos vom Rugby-Team gewonnen wurde, zu Schlamm. Der zweite und dritte waren ganz und gar anders. Das athletischere und viel leichtere Shinty-Team blieb auf den Füßen, während einige der Rugby-Spieler ausrutschten und hinfielen und diejenigen, die immer noch am Seil festhielten, durch den Schlamm über die Ziellinie gezogen wurden.

Beide Teams gingen glücklich nach Hause; die Shinty-Spieler, weil sie gewonnen hatten, und die anderen, weil sie bewiesen hatten, dass sie gewonnen haben würden, wenn der Herr nicht eingegriffen hätte.

Erwachsene Männer tanzen auch

Urweltliche Monster

Am nächsten Morgen ging es wieder weiter. Susi hatte immer noch die Führung und alle schienen ganz glücklich darüber, also fuhren sie nordöstlich weiter durch den Großen Glen, wo die Straße entlang den *lochs* am Kaledonischen Kanal verläuft oder doch nahe zu ihnen. Es dauerte nicht lange und sie erreichten Loch Ness und Fort Augustus, den Ort, der seinen Namen von noch einer Festung des 18. Jahrhunderts hat, erbaut, um über die frechen Hochländer zu wachen.

Augustus war der Herzog von Cumberland, ein feiner englischer Titel für den Sohn deutscher Eltern. Sein Vater war George II, dessen Vater Georg, Kurfürst von Hannover war, das zwölfte und einzige überlebende Kind von Sophia, deren Mutter Elizabeth, eine Tochter von James VI von Schottland (der auch James I von England war) Friedrich V den „Winterkönig" von Böhmen heiratete. Wegen dieser Verwandtschaft und der Tatsache, dass er Protestant war, wurde der Kurfürst von Hannover beim Tode von Königin Anne 1714 George I des Vereinigten Königreichs von Großbritannien und Irland.

Das ist unschwer nachzuvollziehen, oder?

George I sah nicht viel von England und wahrscheinlich nichts von Schottland, obwohl er dreizehn Jahre lang König war. Vielleicht war das so, weil er kein Englisch sprach und weil er zu Hause sehr beschäftigt war, zufrieden damit, die königliche Lohntüte einzukassieren.

Um wieder zu Loch Ness zurückzukehren, die Legende will wissen, dass er seinen Namen wegen einer magischen Wasserquelle erhielt, die niemals austrocknen sollte, vorausgesetzt der Deckel wurde jedes Mal wieder zurückgelegt, wenn Wasser daraus geschöpft wurde. Eines Tages schöpfte eine junge Frau Wasser, als sie ihr Baby schreien hörte, und lief zurück nach Hause, wobei sie vergaß, den Deckel wieder aufzulegen. Die Quelle versiegte, aber nicht, ehe sie das Tal gefüllt hatte. Als die Frau zurückkam, sah sie den See und sagte „tha loch ann a nis" – jetzt ist ein *loch* drin.

Es gibt noch eine Geschichte, die vielleicht keine Legende ist. Im sechsten Jahrhundert befand sich der christliche Missionar St. Columba am Ufer des River Ness, der aus dem *loch* ins Meer fließt, als er ein Boot auf der anderen Seite des Flusses sah. Er bat einen seiner Begleiter, hinüberzuschwimmen, um es zu holen, aber auf halbem Wege kehrte der Mann um, in Angst und Schrecken versetzt von einem Monster, das er gesehen hatte.

St. Columba machte dann das Kreuzeszeichen und befahl dem Monster, den Fluss zu verlassen, was es auch tat. Es könnte flussabwärts geschwommen sein, in welchem Fall es dann ins offene Meer gelangt wäre, wo es andere Monster getroffen haben könnte wie etwa Wale oder sich aalende Haie. Oder es könnte schlau gewesen sein und flussaufwärts zum Loch Ness geschwommen sein, wo es ein großer Fisch in einem kleinen Teich sein würde, um für alle Zeit glücklich und in Freuden zu leben.

Es ist interessant, dass dies von einem anderen Missionar, St. Adamnan, in seiner Lebensgeschichte von St. Columba erzählt wurde. Man sollte nicht denken, dass ein solcher Mann diese Geschichte aus bloßem Spaß daran fabrizieren würde. Andererseits wurde die Biographie hundert Jahre nach Columbas Tod geschrieben, Zeit genug für einen Molch, ein Drache zu werden, wenn die Geschichte mündlich weitergegeben wird.

Beinahe 1.400 Jahre vergingen vor dem nächsten Bericht, 1930, von einer Sichtung des Monsters. Diesem folgten bald andere, dann schattenhafte Fotografien, von denen keiner beweisen konnte, dass sie Fälschungen waren, dann forschende Wissenschaftler mit hochkomplizierter Ausrüstung, dann noch mehr Forscher. Die meisten von ihnen sagen, dass „da irgendwas ist", aber alles, was sie als Beweis haben, sind Aufzeichnungen von mysteriösen Geräuschen und ein paar trübe Bilder, aber keine Riesenzähne, Hörner oder gegabelte Schwänze.

Eine Zeitung, die *Daily Mail*, auf einen Knüller erpicht, verkündete in aller Ernsthaftigkeit, sie hätte einen berühmten Großwildjäger engagiert, die Bestie zur Strecke zu bringen, so als wäre sie ein Wesen aus dem Dschungel, das sich verirrt hatte. Indem er einen Abguss vom Hinterfuß eines Nilpferds benutzte, hatte ein Schwindler ein paar Fußspuren in den Sand entlang dem Ufer gestampft. Unglaublicherweise war der Wildjäger blöd genug zu glauben, was er sah, und der Zeitungsredakteur sogar noch dämlicher, als er der Welt mitteilte: *Das Monster von Loch Ness ist keine Legende, sondern eine Tatsache.* Ein Experte untersuchte später die Fußspuren und identifizierte das Tier, dessen Fuß benutzt worden war, um sie zu machen.

Interessant ist, dass trotz all der ernsthaften Forschung das Wesen, das in den dunklen Tiefen lauert, nicht zu einem schrecklichen Monster, sondern einer spaßigen Figur geworden ist; eine sanfte und freundliche alte Dame namens Nessie, die keiner Fliege etwas zuleide tun würde. Ihr hübsches Bild ist auf Millionen, wenn nicht Milliarden von Postkarten erschienen, und es gibt beinahe so viele Souvenirs auf der ganzen Welt. Es gibt Leute, die nach Loch Ness pilgern, um der lieben alten Seele ihre Ehrerbietung zu erweisen und inmitten eines Dschungels herumhängender wissenschaftlicher Instrumente um ihre Sicherheit zu beten.

Nessie war einige Jahre lang nicht gesichtet worden, und am Morgen der Ankunft der Bells waren die Gegebenheiten perfekt für einen Auftritt. Eine Brise wehte und die Sonne stand im Osten in einem wolkenlosen Himmel, hüpfte auf dem bewegten Wasser und spielte den Augen von jedem, der an der Westküste von der Straße aus hinübersah, Streiche.

Die Abenteurer hatten an einer Haltebucht an dieser Straße angehalten, am Rande des Wassers, nicht weit vom Nordende des *loch,* einem Ort, wo es in der Vergangenheit mehrere Sichtungen gegeben hatte. Susi und Cian schauten durch Ferngläser über den *loch*, als beide plötzlich anfingen, aufgeregt auf und ab zu hüpfen und mit den Armen zu rudern, während sie auf das ferne Ufer zeigten. Eine Familie kam hervorgestürzt, wissend, was passiert war, aber wissen wollend, wo. Cian war nett genug, ein paar Sekunden mit Hüpfen aufzuhören, um ihnen zu sagen, sie sollten in der Nähe des entfernten Ufers schauen, zwei Kilometer weit weg und ungefähr auf halber Strecke zwischen den zwei höchsten Bäumen.

Die Sonne tanzte jetzt flinker auf dem Wasser, und innerhalb von zehn Sekunden tanzte auch eine der Neuankömmlinge. Sie hatte „es" gesehen. Zwei weitere Wagen hatten mittlerweile angehalten und es sprach sich schnell herum, wo man hinschauen sollte. Cian erhob die Stimme und fragte, ob irgendjemand sonst gesehen hätte, wie der Schwanz schlug, und jemand rief zurück „Ja".

Die Haltebucht war hundert Meter lang und in zwei Minuten war sie voll. Die Phantasie lief Amok, und es gab einen Aufschrei: „Es sind zwei von ihnen!", was sofort von anderen bestätigt wurde. Schwerfälligere Beobachter, denen das Vergnügen versagt blieb, begannen sich zu fragen, ob etwas mit ihrem Sehvermögen nicht in Ordnung wäre, während ihre Freunde versuchten, den genauen Fleck anzugeben – erfolglos.

Da in der Haltebucht kein Platz mehr war, hatten Wagen und jetzt auch ein Reisebus auf der Straße angehalten. Innerhalb von zehn Minuten war der Verkehr in beiden Richtungen vollkommen zum Stillstand gekommen, und der Schrei aus der Menge lautete jetzt: „Es ist eine ganze Familie!"

Diejenigen, die die Familie ausgemacht hatten, sollten nicht erfahren, dass nur sechs Wochen später ein Team von ernsthaften Wissenschaftlern aus Norwegen berichten würde, dass ihre Sondierungen bewiesen, dass es eine Kolonie von mindestens dreißig und möglicherweise sogar sechzig gab. 2001 kamen wieder Norweger und fanden – nichts.

Auf dem Wasser hielten Privatyachten und Kreuzer an, als sie die am Ufer sahen, und waren von der Tatsache verwirrt, dass *sie,* viel näher am Ort des Geschehens, nichts sehen konnten.

Ein Autofahrer auf der blockierten Straße hatte die Polizei

angerufen, und als der Hubschrauber ankam, flog er nahe dem Platz vorbei, wo die scheuen Geschöpfe sich verlustierten und schickte sie zurück in die Tiefe. Schließlich rief jemand mit hundertprozentiger Sehkraft, er hätte eines von ihnen gesehen, wahrscheinlich das Haupt der Familie, wie es trotzige Flammen in Richtung des Hubschraubers sandte, ehe es untertauchte.

Die Fernsehcrew in ihrem Hubschrauber landete am Ufer neben der Haltebucht, war aber gerade zu spät für die Action. Sie mussten sich damit zufrieden geben, die Menge zu befragen, und bekamen plastische Schilderungen jedes einzelnen Vorfalls, eingeschlossen des Flammenwerfens. Viele hatten Schnappschüsse gemacht und ein Mann mit einer starken Teleskoplinse wollte einen Preis für seinen Film aushandeln. Da war ein junger Künstler, der sagte, er könne aus dem Gedächtnis schnelle Farbskizzen anfertigen. Zu diesem Zeitpunkt war eine rivalisierende Fernsehgesellschaft angekommen und beide telefonierten mit ihren Chefs und fragten, wie viel Geld sie für den Film und die Schnellskizzen bieten könnten.

Später am Tag nahmen die Witzbolde eine Mahlzeit in einem *pub*[10] ein, wo es Fernsehen gab. Das übliche halbstündige Magazin-Programm war gänzlich Nessie gewidmet. Mehrere von denen, die Zeugen des Spektakels geworden waren, schilderten, was sie gesehen hatten, und Zweifel begann sich ins Bewusstsein dessen zu schleichen, der das Interview machte.

Die Fernsehgesellschaft hatte ein kleines Vermögen für den Film bezahlt, ohne ihn gesehen zu haben. Als er entwickelt wurde, war das einzige Lebenszeichen auf dem schärfsten der Bilder ein Schwan auf dem Wasser und eine Möwe im Flug mit einem Fisch im Schnabel. Der junge Künstler war gut bezahlt worden, um ins Studio zu gehen und seine ausgezeichneten Skizzen zu machen, aber unglücklicherweise sagten alle anderen, sie hätten etwas ganz anderes gesehen. Inzwischen hatte der Mann, der Flammenschnauben gesehen hatte, Verstand genug, seinen Mund zu halten.

Schon wieder trächtig?

Das Programm endete abrupt, als der verlegene Interviewer sagte, morgen Nacht würde er zwei Psychologen da haben, um über das Phänomen zu diskutieren, wie eine große Anzahl von Leuten etwas sehen konnte, was nicht da war, eine Art von Massenhysterie oder Hypnose. Das wurde von den Teilnehmern als grobe Beleidigung aufgefasst und rief so viel Verärgerung hervor, dass der Interviewer um sein Leben laufen musste und die Übertragung sofort beendet wurde.

Die Zwillinge hatten für die Nacht ein Zimmer in der Jugendherberge von Loch Ness gemietet und als sie dort ankamen, fand gerade eine hitzige Diskussion um das Fernsehprogramm und die Existenz des Monsters statt. Einige, die an der Haltebucht gewesen und definitiv die Familie gesehen hatten, waren außer sich über die Unterstellung, sie hätten es sich eingebildet. Andere hatten etwas gesehen, waren aber nicht ganz sicher, was. Wieder andere hatten nichts gesehen.

Eine junge Frau, die nicht dort gewesen war, aber das Fernsehprogramm verfolgt hatte, sagte, es hätte nichts bewiesen. In der Aufregung könnten Menschen sich einbilden, was immer ihnen suggeriert würde, aber das hieße nicht, dass der erste Mensch, der laut rief, es sich eingebildet hatte. Sie hatte gehört, dass zwei junge Leute die ersten gewesen waren. Es würde nützlich sein, wenn man sie finden könnte.

„Die Polizei sucht bereits nach ihnen", sagte jemand anders. „Sie haben stundenlang den Verkehr aufgehalten."

„Sie können ihnen keinen Vorwurf machen", rief einer der Zwillinge. „Sie haben keinem gesagt, er sollte auf der Straße anhalten."

Einer von denen, die Nessie nicht gesehen hatten, wollte, dass man ihm erklärte, warum nichts auf dem Film war, wo die Kamera doch auf zwei Kilometer deutlich eine Möwe mit einem Fisch im Schnabel ausmachen konnte.

„Wie findet eine Brieftaube, die nie irgendwo gewesen ist und in einer Schachtel in ein 1.000 Kilometer entferntes Land ge-

114

schickt wird, ihren Weg nach Hause? Und wie bringt ein Chamäleon es fertig, sich zu tarnen, wenn es in Gefahr ist?", war die Antwort.

Wir wissen es nicht; auch wissen wir nicht, wozu Nessie fähig ist. Vielleicht kann sie Licht auf eine solche Weise reflektieren, dass das menschliche Auge es erfassen kann, aber alles, von dem sie das Gefühl hat, es könnte sie gefährden, nicht. Mit anderen Worten, wenn ein Mensch sie ansieht, ist sie da, aber sobald Fotoapparate, Ferngläser oder Gewehre auf sie gerichtet werden, ist sie nicht da.

Es wurde langsam deutlich, dass, soweit Nessie betroffen ist, diejenigen, die glauben wollen, auch glauben werden, und diejenigen, die das nicht tun, nicht. Die „Gläubigen" werden als Beweis ein paar schattenhafte Bilder und einige obskure Geräusche herbeischaffen, oder jemanden zu der ausgezeichneten Ausstellung in Drumnadrochit mitnehmen, wo es privaten Besitzern ein Vergnügen ist, das Eintrittsgeld zu kassieren und Souvenirs zu verkaufen. Nessie ist das ganz große Geschäft.

Für Ungläubige reicht das nicht aus. Sie möchten Nessie leibhaftig sehen, lebendig, in Aktion und Feuer spuckend; nur zahm, natürlich.

Das Paar Schlingel, die den Wirbel verursacht hatten, hielt es für das Beste, in jeder Beziehung den Mund zu halten. Gelegentlich sahen sie sich mit genüsslich boshaftem Grinsen an.

Von Engeln gemalt

Es war auf der Isle of Skye, wo Susi zum ersten Mal Gälisch sprechen hörte, in Tönen, die fürs Ohr so angenehm waren, dass die Leute auch hätten singen können, und wenn sie Englisch sprachen, war der melodische Tonfall immer noch da. Dasselbe ist es mit dem Walisischen. „Irisch ist noch süßer und sanfter", sagte Cian. Klar, dass er das sagen würde. Alfie, wenn auch Schotte, ist mit Cian in dieser Hinsicht einer Meinung, besonders, wenn sie Englisch sprechen. Ohne ein Wort zu verstehen, hatte Susi doch das Gefühl, sie könnte der Musik den ganzen Tag zuhören.

Seltsamerweise haben sich in Wales, Irland und Schottland die alten keltischen Sprachen wie mit Fingernägeln an den Meeresklippen jeweils im fernen Nordwesten festgekrallt. Vor ein paar Jahrhunderten sprach die halbe Bevölkerung Schottlands Gälisch und nichts anderes. Heute spricht es nur einer von hundert und obwohl es bei *diesen* Leuten die bevorzugte Sprache ist, sind sie zweisprachig und sprechen Englisch genauso fließend. Sie sind entschlossen, das Gälische lebendig zu erhalten; die Sprache der alltäglichen Unterhaltungen, des Geschichtenerzählens und Singens. Heute bekommt man mehrere Stunden täglich Radio und Fernsehen für Kinder wie für Erwachsene.

Genauso ist es in Wales und Irland. Im Letzteren lernen alle Kinder in der Irischen Republik Gälisch in der Schule und alle Schullehrer müssen eine förmliche Prüfung darin abgelegt haben.

In Schottland war es unvermeidlich, dass die Englische Krankheit sich nach Norden ausbreiten musste. Die Regierung und das Geschäftsleben waren im Süden und wurden auf Englisch geführt. Das Gesetz war auf Englisch geschrieben, sodass zumindest einige Hochländer es fließend beherrschen mussten, um dem Rest mitzuteilen, welches neue Gesetz sie ignorieren oder nicht befolgen mussten.

Zur selben Zeit gab es einen gezielten Versuch, das Gälische zu töten, das noch in lebendiger Erinnerung war. Man hielt Hochlandbewohner für rückständig und unzivilisiert und das teilweise, weil sie eine Sprache sprachen, die der der noch rückständigeren, unzivilisierteren und römisch-katholischen Iren glich. Solange sie fortfuhren, Gälisch zu sprechen, waren sie nicht besser als Steinzeit-Wilde. Als die Schulen anfingen, sich für diejenigen zu öffnen, die kein Englisch sprachen, fand der Unterricht ausschließlich in Englisch statt. Man stelle sich nur den Schock des ersten Schultags für ein Kind vor.

Und so musste nicht nur Englisch gelernt werden; Gälisch musste vergessen werden. Wenn Kinder in der Schule dabei erwischt wurden, dass sie miteinander in dieser Sprache, ihrer Muttersprache, redeten, wurden sie vom Lehrer körperlich bestraft und zwar, damit sie sich schämten, in manchen Fällen mit einem bestimmten Stock, der zu diesem Zweck bereitgehalten wurde. Es leben heute noch einige, die das erlebt haben.

In Wales gehörte zu dieser Barbarei eine besonders schlaue Methode, bei der man die Kinder einander „verpetzen" ließ. Das erste Kind, das man in seiner Muttersprache reden hörte, bekam vom Lehrer einen Kragen um den Hals gelegt. Wenn dieses Kind ein anderes Walisisch sprechen hörte, informierte es den Lehrer, und der Kragen wurde weitergegeben, wobei schließlich das Kind, das ihn am Ende des Schultages trug, geschlagen wurde.

Diese Behandlung hatte die volle Unterstützung vieler Eltern, die jetzt glaubten, um in der Welt „voranzukommen", wäre es nötig, Englisch zu sprechen, zu lesen und zu schreiben. Das war nicht weit von der Wahrheit entfernt; es gab keine Arbeit für sie daheim, und in Schottland mussten sie nur etwa hundert Kilometer nach Süden reisen und konnten weder verstanden werden noch etwas verstehen, wenn sie nur Gälisch konnten.

Die gebildeten Deutschen stimmen der Ansicht zu, dass Englisch wesentlich ist, um weiterzukommen. In jedem Gymnasium wird Englisch unterrichtet und in Schleswig-Holstein z.B. findet der Geographie- und Geschichtsunterricht in Englisch statt.

Das ist ein Schritt in die richtige Richtung, geht aber nicht weit genug. Wenn man es einen Schritt weiter führen würde und aller Unterricht in Englisch stattfände, wobei die, die beim Deutschsprechen ertappt würden, verdroschen würden, mit Zustimmung der Eltern, dann könnte die deutsche Sprache in fünfzig Jahren ausgelöscht werden und nur auf den entlegeneren Inseln und auf dem Festland in Ostfriesland überleben.

Jerome würde vor hundert Jahren zugestimmt haben, dass dies leicht geschafft werden könnte. In *Three Men on the Bummel* schreibt er über die Schwierigkeit, die Deutsche aus verschiedenen Teilen ihres Landes haben, einander zu verstehen. Er fährt fort:

Im Laufe des Jahrhunderts, bin ich geneigt zu denken, wird Deutschland seine Schwierigkeiten gelöst haben, indem es Englisch spricht. Heute spricht jeder Junge und jedes Mädchen in Deutschland oberhalb der Bauernklasse Englisch.

Denn sie haben in Deutschland eine Art, Sprachen zu unterrichten, die nicht die unsere ist. Die Folge ist, dass junge Leute, die die Höhere Schule verlassen, die Sprache, in der sie unterrichtet worden sind, verstehen und sprechen können.

In England haben wir eine Methode, die, um das geringstmögliche Ergebnis für den größtmöglichen Aufwand zu erzielen, nicht ihresgleichen hat. Ein englischer Junge, der eine gute Mittelklasse-Schule in England durchlaufen hat, kann einem Franzosen, langsam und mit Mühe, etwas von weiblichen Gärtnern und Tanten erzählen. Möglicherweise, wenn er eine leuchtende Ausnahme ist, mag er noch in der Lage sein, die Zeit auf Französisch herzusagen und ein paar bedächtige Kommentare über das Wetter abzugeben.

Der Fremdsprachenunterricht in Schottland, oder in Großbritannien allgemein, ist heute wahrscheinlich besser, aber das wirkliche Problem ist, dass die meisten jungen Leute dort das Erlernen dieser Sprachen nicht ernst nehmen. Sie haben kein wirkliches Interesse an ihnen. Sie lernen sie, um die Prüfungen in der Schule zu bestehen, nicht, um sich zu verständigen, und da immer mehr Fremde Englisch beherrschen, hat das Erlernen von Fremdsprachen noch weniger Bedeutung, glauben sie.

Aber um zu Skye zurückzukehren, den Menschen dort sagte man einst nach, die größten in Großbritannien zu sein; einige glauben, dies wäre das Ergebnis einer Ernährung, die beinahe gänzlich aus Kartoffeln bestand, aber man probiere das nicht aus. Man würde eine Menge davon brauchen. Männer, die hart arbeiteten, aßen jeden Tag sechs Kilo. Aufgrund ihrer Größe und Stärke und der Tatsache, dass sie jetzt etwas Englisch sprechen konnten, waren sie bei den Polizeieinheiten im industriellen Süden Schottlands willkommen, besonders in Glasgow.

Cians deutsche Oma, die in ihrem ganzen Leben nur sehr wenige Kartoffeln aß, besuchte Skye einmal. Wann immer sie sich für mehr als eine Stunde an einem fremden Ort befand, fand sie es notwendig, Postkarten an Freunde in der Heimat zu schicken. Das bedeutete oft, auf eine Tasse Tee in ein Café zu gehen und die Karten zu schreiben, während sie dort war. Bei dieser besonderen Gelegenheit ließ sie Alfie im Café und ging weg, um Briefmarken zu besorgen und ihre Karten aufzugeben, nur um ein paar Minuten später mit ihnen zurückzukommen, nicht wissend, ob sie lachen oder weinen sollte. Das Postamt war geschlossen.

In Hotelzimmern war sie ihr ganzes Leben lang von Badezimmerspiegeln geplagt worden, in denen sie nur die Spiegelung der Wand hinter sich und vielleicht noch ein paar Haare oben auf ihrem Kopf sah. Bei den wenigen Gelegenheiten, wo sie ihr Gesicht sehen konnte, konnte sie die Beleuchtung über dem Spiegel nicht erreichen, um es deutlich zu sehen.

Sie musste hüpfen, um zu versuchen, ihren Bademantel an den Türhaken im Bad zu hängen, und in den Schlafräumen waren die Kleiderhaken im Schrank häufig außer Reichweite. Manchmal schaffte sie es auf Zehenspitzen, indem sie sich mit einer Hand am Kleiderschrank abstützte, wurde dann aber von der Art von Kleiderhaken besiegt, für die man beide Hände braucht, die vom Teufel entworfen worden sind, um sie nutzlos zu machen, falls sie gestohlen werden.

Sie sagte einmal, sie würde sich eine kleine Trittleiter holen und sie überallhin mitnehmen, wo sie hinging. In Supermärkten war die Hälfte der Artikel außer Reichweite und an der Kasse konnte sie ihren Einkaufswagen nicht leeren, weil ihr Arm nicht lang genug war, die Waren, die unten drin lagen, herauszuangeln. Zu ihren großen Vergnügen und genüsslichen Augenblicken gehörte es, wenn sie beim Einkaufen von jemandem, der noch kleiner war, um Hilfe gebeten wurde.

Und jetzt war sie hier im Land der Riesen und zum ersten Mal in ihrem Leben nicht in der Lage, Briefmarken zu ziehen, weil sie nicht hoch genug reichen konnte, um Geld in den Briefmarkenspender an der Wand einzuwerfen.

Skye, bis vor kurzem von einer Fähre versorgt, hat jetzt eine Brücke zum Festland, aber die Insulaner müssen dafür bezahlen, ihre Autos überzusetzen, und einige protestieren und wollen nicht zahlen. Das heißt nicht, dass sie nicht übersetzen können. Sie fahren bis zu dem Punkt, wo sie zahlen sollten, und weigern sich dann, es zu tun. Eine Schlange von Wagen, Bussen und Lastwagen baut sich auf, und die Fahrer fangen an, ungeduldig auf die Hupen zu drücken, bis die zuständige Person gezwungen ist, den rüpelhaften Fahrer passieren zu lassen.

Die kahlen und geisterhaften Berge von Skye, die Cuillins, sind eine der Hauptattraktionen für Kletterer und Spaziergänger, wie auch für die Faulen, die nur durch das romantische Land von Bonnie Prince Charlie fahren wollen.

Bonnie Prince Charlie

Susi hatte von Prince Charles gelesen. Nicht dem heutigen Charles, sondern einem viel früheren. Er war Charles Edward Stuart, von schottischem Blut, besser bekannt als Bonnie Prince Charlie. Es gibt viele romantische Lieder und Geschichten über ihn.

Die Stuarts (oder Stewarts) waren die Linie von schottischen Herrschern, die 1603 auch den englischen Thron erbten. Charlie wäre so gut wie sicher irgendwann König geworden, wenn nicht sein Großvater, James II, zum Römischen Katholizismus übergetreten und rausgeschmissen worden wäre.

Da war also Charlie, in Italien geboren und auch dort lebend, und musste zusehen, wie der deutsche Georg von Hannover sich des guten Lebens erfreute, das seines hätte sein sollen. Er hatte den Job nur bekommen, weil Charlie und sein Vater Katholiken waren, wie Großpapa.

Charlie war ein hübscher Junge und wuchs zu einem gut aussehenden jungen Dandy heran, der ein Vermögen für Kleider ausgab, es gern hatte, wenn sein Porträt gemalt wurde, sehr viel von einer Flasche Brandy hielt und noch mehr von zweien. Anscheinend lernte er Brandy im Alter von vierzehn kennen, als er mit italienischen Armeeoffizieren zusammen war und militärische Taktik studierte.

Es gibt viele romantische Geschichten über ihn. Eine ist, dass er im Alter von vier Jahren bereits Italienisch, Englisch und Französisch beherrschte und ein ausgezeichneter Musiker war. In der Tat ein Genie. Könnte er ein paar Jahre später die Inspiration für Mozart gewesen sein?

Die Wahrheit scheint zu sein, dass er Musik und Tanz genoss und eine Menge Zeit damit verbrachte, Vögel im Garten zu schießen aus bloßem Spaß daran, aber weder die Fähigkeit noch den Wunsch hatte, irgendetwas zu lernen. Diejenigen, die genauer hingesehen haben, sagen, dass er selbst als Erwachsener noch schlechtes Italienisch, schlechtes Englisch, schlimmeres Französisch und alle drei zur gleichen Zeit sprach. Er konnte „Charles" kaum buchstabieren, und alle etwaigen verständlichen Briefe, die er verschickte, waren nicht von ihm verfasst.

Offenbar war er als Kind körperlich schwach und sein Vater ließ ihn von einem athletischen jungen Priester abhärten, um ihn auf die vor ihm liegenden Strapazen vorzubereiten. Sie pflegten bei jeder Wetterlage primitiv zu schlafen und ihr Essen zu schießen, in Fallen zu fangen, zu jagen und zu sammeln und dann zu kochen. Sie wateten durch eisige Flüsse, erklommen barfuß die scharfkantigsten Felsen und hackten sich ihren Weg durch dichtes Unterholz.

Interessanterweise hatte der Vater des heutigen Charles eine ähnliche Idee und setzte sie in die Praxis um. Prinz Philip hatte die Schule von Gordonstoun im schottischen Hochland besucht und Charles wurde dorthin geschickt, damit ein Mann aus ihm würde. Die Schule wurde 1934 von dem deutschen Erzieher Kurt Hahn gegründet. 1933 hatte er Deutschland verlassen und war nach Schottland aufgebrochen.

Er war der Gründer des Landerziehungsheims in Salem am Bodensee (1920), ein harter Mann, dessen Philosophie war, dass man grausam sein musste, um freundlich zu sein. Das bevorstehende Leben würde für junge Adelige hart sein, und je eher sie dafür abgehärtet würden, desto besser. So liefen sie z.B. täglich frühmorgens, egal wie das Wetter war, wonach sie kalt duschen mussten, sommers wie winters. Die Eltern bezahlten und andere bezahlen immer noch eine Menge Geld für dieses Privileg.

Der Vater von Bonnie Charles hatte versucht, George I die Krone abzunehmen, und dabei versagt und hatte seinen Sohn in der Überzeugung aufgezogen, dass die Stuarts beraubt worden seien, sodass er seinerseits entschlossen war, George II dahin zurückzuschicken, wo er hingehörte, ohne Kopf.

Bis zur Ankunft fremder Könige, zuerst der Herzog William

1688 und dann die Hannoveraner 1714, waren die Highland-Clan-Oberhäupter wie kleine Könige in ihren eigenen Landen gewesen und vielleicht dachten sie, wenn wieder ein König von schottischer Abkunft auf den britischen Thron eingesetzt würde, würde ihre eigene Unabhängigkeit zurückkehren.

Was die Dinge für sie verschlechtert hatte, war, dass 1707 die Parlamente von England und Schottland vereint worden waren, in London natürlich, und die Länder, soweit es das Gesetz betraf, zu einem wurden. Gesetze, die in London erlassen wurden, waren auch für die Schotten zu befolgen. Die Schotten und besonders die Hochländer hatten sich nicht an die Vorstellung gewöhnt und mochten sie überhaupt nicht.

Aus diesen Gründen beschloss Charlie, dass die Highlands seine Raketenabschussbasis sein würden und dass die Hochländer darauf warteten, abgeschossen zu werden.

1744, im Alter von 24, ging er von Italien nach Frankreich in der Hoffnung, französischen Beistand für seine Invasion zu bekommen. Er brachte es fertig, ein kleines Schiff zu bekommen, auf dem er mit ein paar Begleitern reiste, und ein größeres mit 64 Kanonen und sechzig Freiwilligen. Er brach mit großen Hoffnungen zu den Highlands auf.

Das Schiff mit Kanonen wurde angegriffen und musste nach Frankreich zurückkehren. Charlie machte weiter und landete schließlich auf einer winzigen Insel vor der Küste von Skye, im fernen Nordwesten. Alles, was er dann tun musste, war, die Highland-Oberhäupter zu überreden, sich seiner nicht existenten Armee anzuschließen, sich ihren Weg nach London zu erkämpfen und ihn auf den Thron zu setzen. Dies sollte in die Geschichte eingehen als die Jakobitische Rebellion, weil beabsichtigt war, die Abkömmlinge von James II wieder auf den Thron einzusetzen und Jacobus die lateinische Form von James ist.

Viele Clan-Oberhäupter schlossen sich ihm an, einige, wie man sagt, nach einer Menge vom Brandy des Prinzen, als sie betrunken genug waren, Versprechungen abgegeben zu haben, aber nicht so betrunken, um zu vergessen, dass sie sie gemacht hatten.

Man riet Charlie, Hochland-Kleidung zu tragen, um das Band zwischen ihm und seinen Männern zu stärken. Die Abbildungen von ihm, wie er sie trägt, sehen aus, als sei er eher für einen Hochland-Ball angezogen als für die Schlacht.

Vom Zeitpunkt seiner Landung auf einer entlegenen Insel in Schottland an brauchte es nur vier Wochen, um eine Armee von 2.000 aufzustellen, um auf London zu marschieren. Vielleicht nicht gerade eine große Armee, aber wie ist es mit wenigen Straßen und ohne Post oder Telefone möglich, diese Anzahl in ein paar Wochen zusammenzubekommen, wenn sie nicht gewusst hatten, wann oder ob er überhaupt kommen würde?

Andere schlossen sich ihnen auf dem Weg nach Süden an, und in Edinburgh erklärte der Prinz, sein Vater wäre König James VIII von Schottland und James III von England. Seine Truppen besiegten die von George nahe Edinburgh. Die Menschen begannen an ihn zu glauben, und mehr schlossen sich seiner Armee an. George II war so gut wie tot.

Den Winter 1745/46 über setzte sich der Marsch nach Süden fort, bis die Jakobiten nur noch 200 Kilometer von London entfernt waren, aber bis dahin war deutlich geworden, dass die englische Bevölkerung, weit entfernt davon, sie willkommen zu heißen, feindselig gesinnt war, besonders gegenüber dem Aussehen der wilden Männer aus den Highlands. Der Prinz wollte weiterziehen, aber seine Generäle weigerten sich schließlich, und so begann der Winter-Rückzug nach Schottland.

Es war vergleichbar mit den Rückzügen von Napoleon und Hitler aus Russland und es endete tragisch im Norden Schottlands bei Culloden, in der Nähe von Inverness, im April 1746. Die Hochländer, 2.000 von ihnen, zum ersten Mal vom Prinzen angeführt, standen einer Armee von 20.000 unter dem Kommando des Herzogs von Cumberland, Sohn des regierenden Monarchen, gegenüber. Ein Massaker folgte und diejenigen, die nicht im

Kampf getötet wurden, wurden zur Strecke gebracht, gefoltert und ermordet. Der Herzog ging in die schottische Geschichte als „Schlächter" Cumberland ein.

Charlie, der gesagt hatte, er würde mit seinen Männern leben oder sterben, lief davon und sagte ihnen, dass er nach Frankreich gehen wolle, um die Franzosen um Hilfe zu bitten, obwohl er gewusst haben muss, dass dafür keine Chance bestand. Er lief, um seine eigene Haut zu retten und die keines andern.

Treue Anhänger brachten ihn zurück auf die entlegenen Inseln im Westen, wo er zwei Jahre zuvor zum ersten Mal gelandet war. Eine Armee von zweitausend folgte mit dem einzigen Ziel, ihn zu fangen. Es war eine Belohnung von 30.000 Pfund auf Information ausgesetzt, die zu seiner Ergreifung führte, heute ein Vermögen, aber niemand wollte das Geld.

Zwei Monate lang ging er von Höhle zu Höhle, Hütte zu Hütte, von Insel zu Insel, aber das Netz zog sich zu. Er litt an Skorbut, woran Seeleute früher oft starben, wenn sie zu lange ohne frisches Gemüse auf See waren, und es waren bald wunde Stellen auf seinem Gesicht und Körper.

In dem alten Disney-Film, der auf Grimms Schneewittchen basiert, singt die Heldin „Wenn einst mein Prinz kommt ...". Im Fall von Charlie war es seine Prinzessin, welche kam.

Die große Flucht

Es war Mitternacht, als jemand die Steinhütte des Schäfers betrat, in der eine junge Dame, Flora MacDonald, allein war und schlief. Sie hütete die Schafe ihres Bruders auf einem Hügel an der Atlantikküste von South Uist, einer kleinen Insel unter denen, wo der Prinz sich als Flüchtling versteckt hielt. Es war in der Nähe seines ursprünglichen Landungsortes und er hatte wahrscheinlich diese Gruppe von Inseln ausgesucht, weil aus irgendeinem Grunde die Leute fromme Römisch-Katholische waren in einem ansonsten protestantischen Meer. Sie sind es immer noch, bis heute.

Flora wohnte auf Skye, viel dichter am Hauptland. Sie war nach South Uist gegangen, um ihrem Bruder zu helfen, und wollte jetzt dringend nach Skye zurückkehren. Obwohl sie als Hirtin arbeitete, war Flora eine Dame aus gutem Hause und in diesen Tagen konnten Damen nicht reisen, wenn sie nicht von einem männlichen Verwandten oder einem vertrauenswürdigen männlichen Diener begleitet wurden.

Sie sollte bald erfahren, warum sie einen Besucher hatte und das zu so einer späten Stunde. Es war ihr Vetter und er war nicht allein, so sagte er ihr. Der Prinz war draußen und wollte natürlich nicht unvorangekündigt das Schlafzimmer einer Dame betreten, oder vielleicht kam er auch nicht herein, weil sie nicht genau wussten, wer dort war. Sie waren um diese Uhrzeit gekommen, weil es für Charlie unmöglich war, tagsüber zu reisen.

Der Vetter wusste, dass Flora nach Skye zurück wollte, und hatte einen Vorschlag. Wenn für ein Boot gesorgt würde, wäre sie dann bereit, den Prinzen als ihre Dienerin verkleidet mitzunehmen und ihn als ihren Diener, um sie zu begleiten? Die Truppen rückten immer näher, und Charlies Schicksal war besiegelt, wenn er nicht von den Inseln weg und zum Festland kommen konnte, von wo er nach Frankreich weiterzureisen hoffte.

Flora weigerte sich. Wenn sie gefasst wurde, konnte sie das mit dem Leben bezahlen und sie hatte nicht nur um sich Angst, sondern auch um ihre Familie und andere vom Clan MacDonald. Ganze Dörfer, ihre Boote und ihr Vieh wurden vernichtet und jeder, von dem man annahm, dass er Charlie half, würde sehr wahrscheinlich ermordet. Abgesehen von den Soldaten, die gestorben waren, waren Hunderte von unschuldigen Menschen getötet worden. Warum sollte das noch mehr Leuten zustoßen, nur um den Prinzen zu einem angenehmen Leben zurückkehren zu lassen?

Der Punkt, an dem sie nachgab, war, als sie sich angezogen hatte und nach draußen ging und den Zustand des Mannes sah. Er war in Lumpen und mit Ausschlag bedeckt; für niemanden ein schöner Zustand und bestimmt nicht für einen Prinzen.

Die Flucht sollte von der nahe gelegenen Insel Benbecula aus stattfinden, von der vier Rudermänner, die ebenfalls ihr Leben riskierten für den Fall, dass sie gefasst würden, mindestens achtzig Kilometer weit durch die Nacht zur Isle of Skye rudern würden, die viel näher beim Festland lag.

Weil bekannt war, dass Charlie irgendwo auf den äußeren Inseln war, konnte niemand sie ohne Erlaubnis verlassen. Floras Stiefvater war zufällig als Hauptmann in Cumberlands Armee auf den Inseln und suchte nach dem Prinzen. Nicht, dass er König George unterstützte, aber er musste zeigen, dass er nicht gegen ihn war, indem er sich ihm anschloss. Er würde für einen Pass für Flora und ihre Diener sorgen.

Charlie sollte Floras Zofe und Näherin sein, sodass „sie" ziemlich raffiniert angezogen sein müsste. Flora und Freunde hatten Arbeit vor sich, damit ihm die Kleidung passte; er war einsachtzig groß. Man entschied, dass er Betty Burke aus Irland sein würde. Es gibt zwei mögliche Gründe warum, „sie" irisch war:

Zuerst einmal hielten die Engländer die Hochlandbewohner für primitiv, beinahe wild, und die Iren hatten den Ruf, noch schlimmer zu sein. Da die Soldaten wahrscheinlich noch nie eine irische Frau gesehen hatten, könnten sie annehmen, es wäre normal für sie, so groß zu sein, mit Haaren und offenen Blasen im Gesicht.

Zweitens konnte man behaupten, sie könnte keine Fragen beantworten, weil sie kein Englisch spräche und nur ein paar Worte schottisches Gälisch.

Die Geschichte berichtet, dass Betty zwei Pistolen unter ihren Röcken verbergen wollte und dass Flora stark dagegen war für den Fall, dass sie durchsucht würde. Betty hatte scherzend erwidert, dass jeder, der unter ihren Röcken suchte, wahrscheinlich keine Pistolen zu finden bräuchte, um zu entdecken, dass sie keine Dienerin war. Flora war nicht amüsiert, berichten uns die Geschichtsbücher.

Es ist heute leicht, schlau zu sein, aber wäre es für Charlie nicht einfacher gewesen, ein Ruderer zu sein und jemand anderen – oder auch niemanden – als Dienerin zu haben? Er war von dem athletischen jungen Priester in Italien und von mehr als einem Jahr Marschieren und Laufen in Schottland und England körperlich abgehärtet worden, also sollte er fähig gewesen sein, als einer von vieren zu rudern.

Nach ein paar angespannten Tagen war alles bereit und um acht Uhr abends machten sie sich auf, um im offenen Boot durch die Nacht zu rudern, in Wind, Regen und Nebel. Ein romantisches Lied, „Über das Meer nach Skye"[11], ist über die stürmische Reise verfasst worden. Darin „hält Flora Wache bei seinem müden Haupt". Um fair gegenüber Charlie zu sein, die verschiedenen Berichte sagen uns, dass er es war, der über sie wachte. Sie und andere loyale Damen hatten Nächte ohne Schlaf verbracht, um Bettys Kleider zu machen. Sie war erschöpft.

Erst nach vierzehn Stunden betrat die Gruppe Skye; das Boot war während der Reise noch beschossen worden. Als sie es verließen, hätte das für Flora eigentlich genug sein sollen, aber das war es nicht. Sie ging eine Unterkunft für Charlie suchen und ein Herr mit einem großen Anwesen mehrere Kilometer entfernt fühlte sich geehrt, zu Diensten zu sein.

Es war um Mitternacht, als sie zum Haus des geehrten Herrn kamen, der seine geehrte Frau aus dem Bett holte, um eine Mahlzeit zuzubereiten. Danach taten die Damen, was Damen gewöhnlich tun, hatten ein Schwätzchen und gingen schlafen. Die Männer taten, was Männer gewöhnlich tun, tranken zu viel und folgten viel später.

Flora war entschlossen, ihren Prinzen damit los zu sein, aber spätmorgens war er immer noch im Bett. Sie mussten zwanzig Kilometer übers Moor nach Portree reisen, der einzigen Stadt auf der Insel und zufällig der Ort, wo Cians Oma 250 Jahre später ihre Briefmarken nicht bekommen konnte. Von dort sollte er zu einer anderen, sichereren Insel übersetzen.

Davor musste etwas viel Wichtigeres erledigt werden, wie man uns berichtet. Die geehrte Gastgeberin wollte von Flora ein Souvenir haben: eine Locke von Charlies Haar. Flora tat es nur widerwillig, aber sie ging in Charlies Schlafzimmer, setzte sich an sein Bett und schnitt einige Haarsträhnen ab. Sie teilte sie mit der Gastgeberin, so die Geschichte. Es gibt eine andere, wahrscheinlichere Version, die lautet, dass die Gastgeberin Charlie die Haare schnitt, weil er sie geschnitten haben wollte.

Welche nun stimmt oder auch nicht stimmt, es sind Strähnen von jemandes Haar in einen Fingerring einmontiert, den ihre Familie heute noch hat. Es ist auch eine Haarlocke im Museum von Dunvegan Castle in Skye. Ist das Floras Andenken?

Als sie nach Portree reisten, gingen Dorfbewohner zur Kirche und Betty, vielleicht inzwischen euphorisch beim Gedanken, sie wäre sicher, oder auch, nachdem sie einen Tropfen Whisky getrunken hatte, demonstrierte den Vorbeigehenden ihre weiblichen Reize, sehr zur Beunruhigung ihrer Retter.

In Portree sagte der Prinz der jungen Heldin, die vielleicht ihr Leben opferte, um seines zu retten, sein letztes Lebewohl. „Bei allem, was geschehen ist, hoffe ich, Madam, dass wir uns noch in St. James' treffen." St. James war der königliche Palast in London, ehe Buckingham Palace erbaut wurde.

„Betty Burke"

Es gibt romantischere Versionen von dem Abschied: „Ehe sie auseinander gingen, gab er ihr eine Locke von seinem Haar, und Charles küsste seine mutige Retterin unter Tränen zweimal auf die Stirn und sagte: ‚Bei allem, was geschehen ist, hoffe ich, Madam, dass wir uns noch in St. James' treffen.'"

In keiner Version dankte er ihr. Alles Ernsthafte, was über ihn geschrieben worden ist, weist darauf hin, dass er alle Menschen als Diener betrachtete, die die Ehre hatten, ihm zu dienen, und dass *sie* diejenigen waren, die zu danken hatten.

Sie sahen einander nie wieder. Sie waren sich innerhalb von zehn Tagen begegnet und wieder auseinander gegangen, und abgesehen von der Meerüberfahrt waren sie nur an ein paar von diesen für kurze Zeitabschnitte zusammen gewesen. Er sprach später kaum von ihr, und als er es bei einer Gelegenheit tat, erwähnte er ihren Namen nicht. Mag sein, dass er ihn bereits vergessen hatte – wenn er sich je die Mühe gemacht hatte, ihn in Erfahrung zu bringen!

Zehn Tage, nachdem Charlie Skye verlassen hatte, wurde Flora verhaftet und nach London zum Verhör gebracht. Ihre ruhige Art wurde sehr bewundert und wunderbarer Weise wurde sie ein Jahr später ohne Prozess freigelassen.

Er kehrte nach Italien zurück und fiel anderen zur Last, bis er beinahe vierzig Jahre später starb, ein hoffnungsloser Trinker. Man hat geschrieben, er sei unangenehm, boshaft, pompös, arrogant, rachsüchtig, herrisch und unbelehrbar gewesen.

Und trotzdem lebt das romantische Bild von Bonnie Prince Charlie weiter.

Schenglisch

Während sie durch die Gegend fuhren, hatte Susi manchmal Schwierigkeiten zu verstehen, was gesagt wurde, besonders wenn Leute miteinander redeten und nicht mit ihr. Wie in Deutschland gibt es in unterschiedlichen Regionen unterschiedliche Dialekte; der Dialekt von Glasgow ist ganz anders als der in Edinburgh, obwohl die Städte nur sechzig Kilometer auseinander liegen. Ein weiteres Problem ist es, dass Freunde im Gespräch oft nachlässig reden, wobei junge Leute insbesondere den neuesten modischen Jargon gebrauchen, den ihre Eltern oft nicht verstehen.

Aber es gibt noch zwei weitere Komplikationen, so sagte man Susi. Zuerst einmal sprechen die Schotten, selbst wenn sie gutes Englisch ohne starken regionalen Akzent sprechen, viele Worte anders aus, als sie es in der Schule gelernt hatte, wo ihr beigebracht worden war, das so genannte „Queen's English" zu sprechen (man spricht von „King's English", wenn ein Mann auf dem Thron sitzt).

Es scheint, als habe sich die Sprache der Angeln in den beiden Ländern unterschiedlich entwickelt und es ergaben sich daraus zwei Sprachen, Schottisch und Englisch. Obwohl die erstere beinahe gänzlich verschwunden ist, haben die Leute ihre phonetischere (und vernünftigere) Aussprache beibehalten, wie auch die Gutturallaute, wenn sie Englisch sprechen.

Um einige Beispiele zu geben: der Buchstabe „r" am Ende eines Wortes oder vor einem anderen Konsonanten wird von den Engländern selten ausgesprochen, von den Schotten jedoch immer. Für die Engländer ist *a card* (eine Karte) eine „ka'd", mit einem sehr langen „a", während sie für die Schotten eine „kard" bleibt. Auch ist für sie „corn" genau das deutsche „Korn", aber für die Engländer wird es zu „ko'n", wieder mit einem langen „o".

Für die Schotten ist ein kurzes „a" ein kurzes „a". Mysteriöserweise wird es zu einem kurzen „e" für diejenigen, von denen man meinen sollte, sie wüssten es besser. *A cat* (eine Katze) ist eine *kett* und *a fat cat* ist *a fett kett.* Cians Mam, die ihre ersten Worte gelernt hatte, als sie ihrer deutschen Mama zuhörte, die ihr erstes Englisch in Deutschland in der Schule gelernt hatte, bekam einen „deddy" (Alfie) statt einen „daddy", wie ihn alle ihre schottischen Freunde hatten.

Eine weitere Eigenart der schottischen Aussprache ist der Gebrauch des gutturalen „och" und „rrr". Viele Engländer sagen „Lock Ness", weil sie ihre Mandeln nicht um „Loch" herumwickeln können, und ganz bestimmt könnten sie ihre Kehlen nicht für „Rrrüdesheim" zum Rasseln bringen oder ihre Zungen um „Rrrothesay" rollen, – und wenn es um ihr Leben ginge.

Nach diesen Beispielen werden Deutsche sicherlich zustimmen, dass sie es viel leichter finden würden, Englisch auf die schottische Art zu lernen. Was die Schotten angeht, die Französisch als erste Fremdsprache in der Schule haben, einfach weil es immer so gewesen ist, so würden sie mit Deutsch wegen der Aussprache viel glücklicher sein.

Die zweite Komplikation ist der stolze und beinahe trotzige Gebrauch alter schottischer Wörter, besonders durch ältere Menschen, aber auch durch Jüngere, die an ihrem ‚Nationsein' festhalten möchten. Wie Gälisch vor vielen Jahren als die Sprache der Unzivilisierten und Ungebildeten angesehen wurde, wird „Broad Scots", das breite Schottisch, heute ähnlich betrachtet. Einige Schriftsteller und Dichter versuchen immer noch, die Sprache lebendig zu erhalten, und es sind schottisch-englische Wörterbücher in Umlauf.

Viele schottische Wörter sind modernem Deutsch sehr ähnlich, wenn nicht gar damit identisch. Alle Schotten, nicht nur die „trotzigen", gebrauchen den Ausruf „och" in genau derselben Weise, wie die Deutschen „ach" benutzen. Das Gutturale zieht sich durch die ganze Sprache.

Englisch	*Schottisch*	*Deutsch*
to fight	to fecht	fechten
fought	focht	focht
brought	brocht	brachte
fast	snell	schnell
daughter	dochter	Tochter
church	kirk	Kirche
night	nicht	Nacht
light	licht	Licht

Es ist noch nicht so lange her, da war auch der schottische Akzent inakzeptabel, selbst wenn perfektes Englisch gesprochen wurde. Schottische Adlige und andere Schotten mit Geld glaubten, dass ihre männlichen Kinder, um sich in den höchsten Kreisen zu bewegen, Englisch sprechen müssten, wie die Engländer es sprachen. Aus diesem Grund wurden ihre Söhne in öffentliche englische Schulen (*public schools*) geschickt, um sich mit den Engländern zu vermischen und englischen Akzent zu hören und sprechen zu lernen. Erst dann würden sie *gentlemen* sein, ehrenwert und verlässlich, in der Lage, die Welt zu regieren.

Englische „öffentliche" Schulen sind nicht öffentlich. Sie sind extrem privat und werden von den Söhnen der Wohlhabenden besucht. Sie wurden so genannt, weil sie die jungen Männer auf gehobene Posten im „öffentlichen" Leben vorbereiten sollten: für die von obersten Regierungsbeamten, höheren Armeeoffizieren, Botschaftern usw.

Schottland hat wenige *public schools*, aber viele private, für die Eltern lieber Beiträge bezahlen, statt ihre Kinder auf staatliche Schulen zu schicken. Sie glauben, die Disziplin sei besser, der Unterricht sei besser, die Resultate (dem Abitur gleichwertig) seien besser.

Die Resultate sind bestimmt besser, teilweise weil die Eltern viel Geld für die Ausbildung ihrer Kinder bezahlen und dafür sorgen, dass sie die Arbeiten machen, die von ihnen verlangt werden.

Viele dieser Schulen wurden vor Hunderten von Jahren von wohlhabenden Kaufleuten gegründet und tragen ihre Namen: Hutchesons' in Glasgow, George Watson's, George Heriot's und Stewart's Melville in Edinburgh. In ihnen allen müssen Standard-Uniformen getragen werden, und zwar militärisch korrekt, bis zum Verlassen der Schule mit achtzehn. Sind Schuluniformen eine gute Idee?

8.000 Dudelsackpfeifer

Susi und die Jungens hatten ihre Highland-Abenteuer genossen, aber jetzt waren sie erpicht darauf, zurückzufahren, damit Susi einen Tag oder auch zwei haben würde, um sich verzaubern zu lassen von dem, was 1947 als *Edinburgh International Festival of Music and Drama* ins Leben trat. Es ist jetzt besser als das „Edinburgh Festival" bekannt und wird jedes Jahr größer.

Zuerst bestand es aus ein paar Opern-, Ballett-, Theater- und Orchesterkompanien von Weltruf, dann seit 1950 aus einem *Tattoo*[12] mit Dudelsack-Bands, spät jeden Abend unter Flutlichtbeleuchtung vor Edinburgh Castle.

Das Festival war erfolgreich und schon bald kamen kleinere, weniger bekannte und auch unbekannte Künstlergruppen uneingeladen vorbei, um von den Vorteilen der Anwesenheit von Männern und Frauen zu profitieren, die Geld in den Taschen hatten und Theater, Musik und Tanz genossen. Diese Gruppen wurden inoffiziell zu einem Teil des Festivals, obwohl nur am Rande davon. Die Organisatoren des „wirklichen" Festivals waren nicht amüsiert über die Ankunft dieser Piraten.

Jahr für Jahr vermehrten sich die marodierenden Banden und schufen eine Karnevals-Atmosphäre. Nach wenigen Jahren schon wedelte der Schwanz mit dem Hund. Dieser großartige Schwanz wurde auf der ganzen Welt beliebt und erhielt seinen eigenen Namen: *The Fringe* – der Rand! Im Jahr 2000 gab es gerade mal über ein Dutzend größere Spieltruppen im Körper des Hundes und fünfzigmal so viel in seinem großen, fetten Schwanz. Sollte der Hund sterben, würde sein Schwanz ein Eigenleben annehmen.

Dem vom „Rand" veröffentlichten Programm zufolge geben diese Spieltruppen beinahe unglaubliche 15.000 Vorführungen in drei Wochen, während dem, was sie als das weltgrößte Kunstfestival bezeichnen; es findet statt in über zweihundert Theatern, öffentlichen Sälen, Kirchen, Kunstgalerien, Museen, Schulen, Universitäten, Hotels, *pubs* und in den Parks. Es gibt auch Hunderte von Straßenkünstlern und Hunderttausende von Touristen, jung und alt, die sie bewundern.

Im Vorjahr gab es ungefähr vierzig Shows vom „Rand", die in geschlossenen Räumen stattfanden, extra für Kinder, aufgeführt von afrikanischen, amerikanischen, englischen, deutschen, Hongkong-, indonesischen, irischen, polnischen, schottischen, slowenischen und walisischen Theatertruppen. Es gab noch dreihundert andere Theateraufführungen, die für Kinder und Erwachsene geeignet waren, wiederum mit Spieltruppen aus der ganzen Welt.

Susi hatte Glück. In diesem Jahr fand die größte Zusammenkunft von Dudelsackspielern und Trommlern aller Zeiten statt: 8.000 von ihnen in über 200 *pipe bands*[13] aus weit entfernten Ländern, die zur Einleitung des Festivals die Princes Street entlang marschierten und spielten. Alle waren auf eigene Kosten gekommen, um Geld für die wohltätige Organisation *Marie Curie Cancer Care* einzuspielen.

Die meisten Bands waren aus Schottland, aber es gab über sechzig aus Australien, USA, Kanada, Südafrika, Neuseeland, England und Wales wie auch andere aus Frankreich, Spanien, der Schweiz, Belgien, Holland, Dänemark und – Deutschland.

Weder Cian noch Susi schafften es, sie ausfindig zu machen, aber nach dem Programmheft waren die deutschen Bands die *Bielefeld Pipes and Drums*, *Caverhill Guardians* und die *Werl Pipes and Drums*. Es waren auch zwei Männern von den *Clan Pipers* aus Frankfurt am Main da.

Das erfolgreichste Einzelereignis des Festivals ist das *Tattoo*. Die ursprüngliche Bedeutung von „tattoo" ist der Trommelschlag oder das Hornsignal, welche Soldaten ankündigen, dass es Zeit ist, für die Nacht in die Baracken zurückzukehren. Später wurde es zum Namen einer Art von unterhaltender Militärmusik, und das ist es in Edinburgh.

Jeder, wo er auch herkommt, der glücklich genug gewesen ist, Eintrittskarten für das Tattoo zu bekommen, ist davon verzaubert. Es findet unter Flutlicht auf der Schlossesplanade statt, während der Himmel dunkel wird; es gibt Hunderte von Dudelsackspielern aus vielen Ländern wie auch traditionelle Musik, Tanz und akrobatische Vorführungen von vielen anderen, häufig auch aus Deutschland. 1998 hatte Cians Oma eine Gruppe von Freunden aus Deutschland hier zu Besuch und alle waren der Ansicht, die Atmosphäre beim Tattoo sei märchenhaft.

Es gibt 8.000 Sitze auf den extra vorübergehend erbauten Tribünen auf der Esplanade und in den drei Wochen, mit einer Probeaufführung und zwei Aufführungen an Samstagen, sehen beinahe 200.000 die Show, weil sie jeden Abend voll gepackt sind. Der einzige Weg, um sicherzugehen, mit dabei zu sein, ist, reichlich im Voraus zu buchen. Am Tag einer Vorführung gibt es vielleicht hundert zurückgegebene Karten und Hunderte, die darauf warten, sie zu kaufen.

Wenn du so weit gelesen hast, bist du ein Freund von Susi geworden – also hier das Geheimnis, wie man an Karten kommt. Sag es nicht jedem weiter!

Die teuersten Plätze sind auf der Osttribüne, Reihen A, B und C, und kosten ca. 70 DM. Ausgezeichnete Plätze sind in den Reihen C, D und E auf der Nord- und der Südtribüne. Sie kosten ungefähr 50 DM. Die Buchungen beginnen Ende Dezember und man kann für gewöhnlich bis Ende Mai gute Plätze bekommen, aber je eher man bucht, desto besser natürlich.

Man halte eine Mastercard, Amex, Visa usw. bereit und rufe von Deutschland aus die 0044 131 225 1188 an. Es wäre ein Wunder, wenn die Person, die abnimmt, fließendes Deutsch oder überhaupt Deutsch sprechen würde. Wenn du dir deines Englisch nicht allzu sicher bist, bitte den Betreffenden, langsam zu sprechen. Gewöhnlich ist man höflich und geduldig. Frage nach *availability* (d.i. nach freien Karten) an den Tagen, in denen du in Edinburgh sein wirst, und frage auch, welche Plätze man dir empfehlen würde. Man wird gerne um Rat gefragt. Die Tribünen sind steil, sodass es kein Problem damit gibt, dass kleine Kinder aus jeder Reihe sehen können. Alfie würde nicht empfehlen, Kinder unter zehn Jahren mitzunehmen.

Man wird dich nach deinem Namen und der Adresse fragen, an die du die Tickets geschickt haben möchtest. Achte darauf, es zu üben, sie in Englisch zu buchstabieren, ehe du anrufst. Bitte darum, dass die Adresse langsam wiederholt wird.

Wenn du es vorziehst, kann ein gedrucktes Formular für Vorbestellungen (nur in Englisch) Ende November bezogen werden, indem man an folgende Adresse schreibt: *The Tattoo Office, 32 Market Street, Edinburgh, EH1 1QB*. Das Formular zeigt die Sitzverteilung und gibt Auskunft über Internet-Buchung. Es ist am besten, einen adressierten Rückumschlag mitzuschicken.

Die Esplanade ist keine überdachte Arena und man tut gut daran, auf Regen vorbereitet zu sein. Schirme sind nicht gestattet. Falls es nass ist, nimm eine Rolle Küchentücher mit, um die Sitze zu trocknen. Es kann oben in Edinburgh nachts um zehn auch kalt sein, also zieh dich warm an. Es ist unwahrscheinlich, dass dir *zu* warm sein wird. Die Sitze sind hart, aber die geizigen Schotten werden dir ein Kissen vermieten, wenn du es wünschst.

Lass dich von den Härten nicht abschrecken. Trotz der Möglichkeit, später an Unterkühlung zu sterben, sollte man das Tattoo nicht verpassen. Es war wunderbar für Susi festzustellen, dass sie es nicht verpassen würde. Tickets für die Familie waren bereits Monate vorher besorgt worden.

Das Besondere daran ist, dass, obwohl das Schauspiel nur neunzig Minuten dauert, die glückliche Erfahrung mehrere Stunden anhält und die Erinnerung daran für immer.

Das Erlebnis beginnt um ungefähr sieben Uhr mit dem Gang zum Schloss. Die Vorführung beginnt um neun und wenn sie endet, setzt sich das Erlebnis mit dem Nachhauseweg fort. Auf der Royal Mile in Schlossnähe sind vom späten Nachmittag an während des Tattoo keine Autos zugelassen und es ist nicht nötig, eine Wegbeschreibung dorthin zu erfragen. Achttausend Menschen in achthundert Schattierungen aus achtzig Ländern werden dorthin gezogen wie von einem Magneten.

Die letzten zweihundert Meter zur Schlossesplanade führen eine enge Einbahnstraße entlang, und weil es Zeit erfordert, die Zuschauer zu ihren Sitzen zu dirigieren, sind die Näherkommenden jetzt Schulter an Schulter gepackt und bewegen sich im Schneckentempo oder überhaupt nicht. Susi war noch nie in einer Menschenmasse wie dieser gewesen und zuerst war sie ein bisschen ängstlich.

Sehr bald stellte sie fest, dass sie es nicht zu sein brauchte. Diese Masse war keine Masse. Es war eine Versammlung glücklicher Fremder in Tuchfühlung, die sich gegenseitig anlächelten und Worte tauschten, die gelegentlich auch verstanden wurden. Es gab nirgendwo Panik, Irritation oder Verärgerung.

Die ganze Zeit über trieben neue Gesichter im Lavastrom vorüber. Langsam war Susi von den Bells getrennt worden und sie voneinander, aber Cians schlauer Papa hatte jedem von ihnen ein Ticket gegeben und sie würden sich auf ihren Plätzen wieder begegnen.

Wunderbarerweise hatte um neun jeder einen Platz, und unter dem Flutlicht begann die fesselnde Aufführung, mit majestätischen Dudelsackspielern und Trommlern zu Hunderten, unter ihnen Gurkhas aus dem Himalaya und die berittene Königlich-Kanadische Polizei – die *Mounties*. Es gab explosive Schlagzeug-Bands aus Trinidad und Tobago, donnernde Zulu-Trommeln aus Afrika und Maori-Tänzer aus Neuseeland mit Sprungfedern in den Gelenken.

Am Allerbesten: Nachdem die letzte Band zu ekstatischen Hochrufen davonmarschiert war und alles vorbei zu sein schien, vollkommene Stille, als das Flutlicht ausgeschaltet wurde und ein Scheinwerfer einen einsamen Dudelsackspieler anstrahlte, hoch auf den Wällen des Schlosses, wie er das Tattoo ertönen ließ und die Leute nach Hause rief. Absolut wunderbar!

Und dann der letzte Teil, der Auszug mit der Menge, die einander in ihrer Aufregung und Freude jetzt beinahe anschrie, sich aber leichter fortbewegte, mit Platz für viel Armeschwenken und Tanzen. Cian, alberner Junge, bemerkte nicht, dass er Hand in Hand mit Susi ging.

Sie schon.

Zähne rotten leicht

Dies war Susis letzter Tag und sie war dabei, Geschenke einzukaufen, die sie nach Hause mitbringen konnte.

Eine Sache, die sie ihrer besten Freundin mitbringen wollte, war ein schottisches *tammy*, eine Baskenmütze, mit einem Büschel künstlichem roten Haar hinten dran befestigt. Einige dieser lächerlichen Kappen spielen sogar Dudelsackmusik. Sie sehen aus, als müssten sie in Hongkong gemacht sein, wie Cians „Schweizer" Armeemesser, aber sie haben ein Etikett, das besagt, dass sie in Schottland hergestellt werden. Sie werden millionenfach an jene Touristen verkauft, die in Schottland sind, um sich zu verlustieren. Die Schotten scheinen nichts gegen diese alberne Karikatur ihrer selbst zu haben. Tatsächlich tragen viele schottische Fußballfans sie im Ausland als Identitätssymbole. Sie sind viel billiger als Kilts! Cian hatte eine für Susi gekauft und sie erstand noch eine für ihre Freundin, damit sie sie beim nächsten Karneval tragen könnten.

Sie hatte beschlossen, ein Haggis als Spezialität für ihren Opa mitzunehmen. Seine Lieblingsspeise ist Eisbein mit Sauerkraut und er und andere Liebhaber dieses schmackhaften Mahls sind die Art von Leute, die das bescheidene Haggis als seltene Delikatesse ansehen würden.

Ein frittiertes Mars war wesentlich für ihren Vater. Es konnte ein paar Sekunden in siedendes Öl getaucht werden und würde wieder so gut wie neu sein.

Der Grund für dieses Geschenk war, dass ihr Vater, wenn ihr Essen auf den Teller gelegt wurde, das sie noch nie probiert hatte, und sie dann sagte, dass sie nicht mochte, wie es aussah, und es nicht wollte, darauf bestand, sie könnte unmöglich wissen, wie es schmeckte, solange sie es nicht probiert hätte. Er konnte unmöglich wissen, wie das Mars schmeckte, solange er es nicht probiert hatte. Susi freute sich darauf.

Sie nahm ein Modell von Nessie für ihre Mutter mit. Es gibt viele zur Auswahl. Susi suchte eines aus, das aus vier getrennten Keramikteilen bestand: einem Kopf, zwei Kamelhöckern und einem Schwanz, der nach Art eines glücklichen Hundes hochgehalten wurde. Die Teile werden in einer Reihe auf einen Tisch gelegt, vorzugsweise einen Glastisch, und erwecken dann den Anschein eines halb untergetauchten Knuddel-Monsters. Es ist ein witziger Tischschmuck und bringt unter Garantie ein Gespräch in Gang, wenn die Gäste verstummt sind.

Tartan goods, Artikel in Schottenkaro, sind immer beliebt, und wenn man die Touristen davon überzeugen kann, ihre Nachnamen wiesen auf eine mögliche Abkunft beispielsweise vom Clan MacDonald hin, und man ihnen das *tartan* des Clans zeigt, kaufen sie wahrscheinlich zweimal so viel.

Einige gewissenlose Händler sind in diesem Spiel zu Experten geworden und könnten es glatt fertig bringen, einen Mann namens Molotov davon zu überzeugen, er stamme vom Clan der MacPhersons ab. Er würde dann einen Kilt im *tartan*-Muster der Familie kaufen und ihn stolz beim nächsten *Burns' Supper* in Moskau tragen.

Alfies Nachname ist Gracie und dieser Name, so hat er gelesen, stammt von dem gälischen „Greusaiche" her, was Schuhmacher bedeutet, und die Greusaiches stammten vom Farquarson Clan ab. Also ist das Alfie's *tartan*, aber er kann nicht verstehen, warum. Bestimmt gab es doch Schuhmacher in allen Clans?

Susis Nachname ist Jäger und sie war ganz aufgeregt, als sie erfuhr, dass es einen Hunter Clan[14] mit eigenem *tartan* gibt. Sie beschloss sofort, Mitglied zu werden, und kaufte Halstücher im Hunter-Muster für sich und ihre Mutter.

Es war Mittagessenszeit und Cian schlug vor, sie sollten jene seltene britische Speise, *fish and chips*, essen, während sie von Laden zu Laden gingen. Das machten sie, und Susi setzte ihre schottische Mütze auf, um ihre Begeisterung zu zeigen.

Die Schotten haben ein paar grauenhaft süße Bonbons, die

„Good-time girl“

einige Touristen nach Hause mitnehmen. Sie ruinieren perfekte Zähne garantiert innerhalb von sechs Monaten und es gibt in Schottland dafür eine Menge Beweise.

Edinburgh Rock[15] lässt sich am besten als reiner, gepresster Pulverzucker mit Farbe und einem Fruchtgeschmack beschreiben. Er löst sich rasch im Mund auf und fängt sofort an, die Zähne aufzulösen, wobei er an den Wurzeln anfängt.

Vanilla Tablet enthält Zucker, gesüßte Kondensmilch, Butter und Vanilleextrakt. Es wird so zubereitet, dass es sich beim Anblick eines offenen Mundes sofort auflöst. Zum Zweck der Zahnzerstörung ist es noch besser geeignet als *Edinburgh Rock*.

Eine weitere Delikatesse, besonders bei Kindern beliebt, ist *Holiday Rock*[16], der nur aus Zucker mit einem Aroma besteht, für gewöhnlich Pfefferminz, in Wasser gekocht, bis er die Konsistenz von Plastilin hat, welches dann zu langen Wurststangen gedreht wird. Beim Abkühlen setzen sich diese so hart wie Zement ab und sind dazu gemacht, Kinderzähne zu zerbrechen, wenn diese sie zerbeißen. Das hilft, die Rate des Zahnverfalls zu steigern.

Durch einen genialen Vorgang wird der Name des Ferienorts in roten Buchstaben in die Stange eingebettet und läuft durch ihre gesamte Länge, ein wirkliches Kunstwerk. Jeder Ferienort, der etwas auf sich hält und auf die eingestellt ist, die sich amüsieren wollen, hat seinen eigenen besonderen Souvenir-„Rock" in Größen von fünfzig Gramm bis zu einem Kilo und in Längen bis zu einem halben Meter. Edinburgh ist da keine Ausnahme. Es ist sowohl auf Touristen eingestellt, die sich nur amüsieren möchten, wie auf Bildungswütige.

Und dann ist da natürlich noch Scotch Whisky, den Susi ihrem Papa zusätzlich zu dem Marsriegel mitbringt. Er meint, es sei etwas Besonderes an schottischem Whisky, der direkt aus Schottland kommt. In der Tat! Es ist der Preis! Wegen des hohen Zolls in Großbritannien ist er in Schottland teurer als in Deutschland und das ist der einzige Unterschied. Am Flughafen ist er zollfrei, aber ein Kind kann ihn da nicht kaufen.

Schließlich, als Beweis, dass sie auf einer Studienreise gewesen war, kaufte sie ein Buch mit den Gedichten von Robert Burns für sich selbst.

Zurück bei den Bells packte sie ihre Geschenke in *tartan*-Papier ein. Sehr, sehr wenige Geschäfte bieten an, Geschenke einzupacken, und die, die es tun, berechnen für diesen Service gewöhnlich einen Aufpreis. Die freundlichen Verkäufer sind nicht zum Einpacken ausgebildet worden und es steht kein Papier zu diesem Zweck zur Verfügung. Egal wie teuer die Artikel, sie werden in eine Plastik-Einkaufstüte fallen gelassen und mit einem zuckersüßen Lächeln überreicht.

Und egal ob die kostenlose Tüte den Laden nun mehr kostet als die Artikel, die gekauft werden, oder wie unnötig sie ist, sie werden trotzdem in eine Tüte geworfen. In den Supermärkten hängen Tüten millionenfach an den Kassen und werden oft mit einem kleinen Becher Joghurt drin oder einer Zahnbürste in einer verschweißten Packung davongetragen, nur um Minuten später weggeworfen zu werden.

Susi war in der Schule und von ihren Eltern über die Notwendigkeit unterrichtet worden, Energie und Ressourcen für künftige Generationen zu sparen und den Treibhauseffekt zu reduzieren, und das erschien ihr vernünftig. Es schockierte sie zu sehen, dass viele Schotten von diesen Dingen nicht gehört hatten oder nicht Verstand genug hatten, sie zu verstehen.

Es war, als fiele alles Verpackungsmaterial vom Himmel und würde das auch ewig tun. Ein Supermarkt, der keine kostenlosen Tüten zur Verfügung stellt, muss beweisen, dass seine Waren eine Menge billiger sind als anderswo, oder er wird schließen müssen. Die billigen Baumwolltaschen, die in allen Supermärkten in Deutschland verkauft werden, sind in Schottland unbekannt.

Sie bemerkte auch, dass Bier überwiegend in Dosen ist und dass Flaschen nicht zurückgenommen werden. Es gibt Container für die Entsorgung aller Materialien, die recycelt werden können, aber die Mehrheit der Leute macht sich nicht die Mühe, sie zu benutzen. Genauso wenig ist es zu Hause nötig, die verschiedenen Materialien für die Entsorgung zu trennen. Flaschen, Dosen, Papier und Plastik werden allesamt in einen Mülleimer geworfen.

Sie begann an andere kleine Unterschiede zu denken. An Ampeln missachten die meisten Fußgänger, Eltern mit kleinen Kindern eingeschlossen, den kleinen roten Mann, ganz egal, ob da vielleicht ein Polizist neben ihnen steht. Radfahrer in Eile und von einer roten Ampel angehalten, verwandeln sich plötzlich in Fußgänger und steigen von ihren Rädern, um hinüberzugehen, und werden dann auf magische Weise wieder zu Radfahrern.

Und doch hat Großbritannien überraschenderweise die niedrigste Unfallrate in Europa. Was tödliche Unfälle angeht, so sind es nur knapp mehr als 6 im Jahr auf 100.000 Einwohner verglichen mit beinahe 10 in Deutschland und über 20 in Portugal. Einer der Gründe dafür könnte sein, dass man auf den Autobahnen nicht fährt wie verrückt oder wie auf dem Nürburgring. Alfie und Cian fuhren im Sommer mit dem Wagen in Deutschland campen. Als sie die Grenze von Holland nach Deutschland überquerten, fuhren die Autos so schnell an ihnen vorbei, dass sie glaubten, ihr eigenes Auto stünde still.

Etwas, was Susi gefiel, war die Höflichkeit der Polizisten, die anscheinend da sind, um alten und behinderten Leuten zu helfen und allerlei Auskünfte zu geben und die deshalb leicht erkennbare Uniformen tragen. Sie haben keine Pistolen um und wollen es auch nicht.

Das Geschenkeverpacken beendet, packte Susi langsam ihre Tasche für die Heimreise.

Die angemalte Dame

Im Bett gingen Susis Gedanken von einer glücklichen Erinnerung an die Ereignisse der vergangenen zwei Wochen zur nächsten: das „Ertrinken", als sie das Flugzeug zu ihrer ersten Begegnung mit der Familie Bell verließ; das „volle schottische Frühstück", der treue Greyfriars Bobby; der Dudelsackspieler in seinem Kilt, mit Haarbüscheln auf Kopf und Gesicht und sonst nichts auf dem Körper außer Schuhen und Strümpfen.

Dann war da das Hinaufklettern zu Arthur's Seat, die Fahrten mit dem Doppeldecker-Bus; die Skipiste; Schwimmen mit Lachsen; zu Tode erschreckt werden vom Hochland-Vieh; das Ersteigen des Ben Nevis; die Highland-Spiele mit den starken Männern und den anmutigen Tänzerinnen; das Abenteuer mit Nessie.

Als sie in den Schlaf hinübertrieb, wandten sich ihre Gedanken Zig und Zog und ihrem verlassenen Heim in Skara Brae auf den Orkney-Inseln zu, im fernen Norden. Wo sind sie jetzt?

Plötzlich war sie im Flugzeug nach Hause nach Frankfurt und war entzückt, als sie an Bord kamen und sich neben sie setzten. Es war ein ungewöhnliches Flugzeug. Es gab nur zwanzig Passagiere, und alle saßen im Kreis, schauten nach innen und sahen einander an.

Es war erst zehn Tage vorher Vollmond gewesen, und daher hatte Zig ein Schlammbad genommen. Zog war zur selben Zeit schwimmen gegangen, sodass beide nach nichts anderem rochen als nach natürlichen Körperdüften, abgesehen von ihren Händen. Die Familie hatte mehrere Tage lang lebende Muscheln geöffnet und gegessen.

Die anderen Passagiere waren voll Abscheu über die schmutzigen, riechenden Geschöpfe, gekleidet in ihre ebenfalls riechenden Häute, und waren auch nicht glücklicher, als Susi ihnen sagte, wer die Kinder waren und wo sie herkamen. Warum hätten sie denn in viertausend Jahren nichts über zivilisiertes Benehmen gelernt, sagte eine angemalte Dame, obwohl sie keine Antwort erwartete.

Zig und Zog hatten ebenfalls Abscheu vor den anderen, amüsierten sich aber auch über sie. Sie hatten sich offenbar kürzlich gewaschen, es aber nicht geschafft, sich von furchtbaren, unnatürlichen Gerüchen zu befreien. Susi, die die Sprache der Kinder fließend beherrschte, erklärte, dass die Leute spezielle Lotionen auf ihre Körper auftrügen, nachdem sie gebadet hätten, damit sie so rochen, obwohl nicht jeder den Geruch von anderen mochte.

Zig war nicht überrascht. Sie schritt den Kreis der Fluggäste ab, sah genau hin und beschnüffelte jeden einzelnen. Der Geruch der angemalten Dame war der schlimmste von allen und ihre Lippen und Fingernägel waren rot von etwas, was nur frisches Blut sein konnte. Sie musste irgendein Tier zerrissen haben, das ihr Mann gerade getötet hatte, und sie hatte seine Leber gegessen oder sein Blut getrunken. Zigs Volk hatte seit langem gelernt, das Fleisch von Tieren zu kochen. Sie gebrauchten auch das Blut, tranken es aber nie.

Sie wollte etwas über die seltsame Kleidung wissen. Die Männer schienen es kalt zu finden, weil sie ihre Körper beinahe vollständig bedeckt hatten, während viele der Frauen nackte Arme, Hälse und Beine hatten. Waren sie es, die jagten? Da waren auch einige Frauen, deren Beine genauso bedeckt waren wie die der Männer. Warum war das so?

Susi konnte diese Fragen nicht zu Zigs Zufriedenheit beantworten, auch nicht zu ihrer eigenen. Sie sagte, es sei „Mode", konnte aber die Bedeutung des Worts nicht erklären.

Zur selben Zeit inspizierte Zog die Füße seiner Mitreisenden. Sicherlich waren diese seltsamen Hüllen unbequem und würden den Träger daran hindern, auf dem Boden oder auf Felsen und kleineren Gegenständen fest Fuß zu fassen. Um das zu demonstrieren, nahm er die Handtasche der angemalten Dame mit seinen Zehen hoch und gab sie ihr. Sie wich entsetzt vor ihm zurück.

Susi sagte, die Hüllen seien Schuhe und dass sie erforderlich seien, weil die Füße weich wären und Schutz bräuchten. Zog wollte mehr wissen. Wie waren die Füße weich geworden? Susi fühlte sich ziemlich albern, als sie sagen musste, dass das wegen der Schuhe wäre.

Zig bewunderte Susis goldenen Anhänger, der ein Amethystherz hatte. Sie war entzückt, als Susi ihn abnahm und ihn ihr schenkte. Sie gab ihrerseits Susi ihre Kette von Knochenperlen.

Als das Flugzeug zur Landung ansetzte, umarmten sich die Mädchen, und Sekunden später verschwanden Zig und Zog auf geheimnisvolle Weise.

Auf Wiedersehen

Der Morgen war schön, warm und sonnig. Susi, immer die Optimistin, zog für die Heimreise ihr T-Shirt und die Shorts an. Sie hoffte insgeheim auf ein volles schottisches Frühstück und wurde nicht enttäuscht.

Wenig wurde auf dem Weg zum Flugplatz gesprochen, und auch nicht, als sie auf Susis Begleitung warteten. Mit einer letzten Umarmung von Cian und dem Zeichen von Tränen in ihrer beider Augen war sie fort.

Im Flugzeug gab es ein bekanntes Gesicht. Sie saß neben der angemalten Dame, die jetzt ganz freundlich war und bald zu schwatzen begann. Sie bewunderte Susis einfache Kette und fragte, ob sie sie in Schottland gekauft hätte.

Susi hatte am Morgen die Kette angelegt, ohne darüber nachzudenken. Sie nahm sie zwischen die Finger und lächelte vor sich hin.

Anmerkungen

[1] Bratfisch mit Pommes Frites

[2] Im Golf Bezeichnung für den Start oder Platz, von dem abgeschlagen wird

[3] The Highlands = Das schottische Hochland

[4] Bezeichnung für den gemusterten Stoff bzw. das Muster („Schottenkaro"). Jeder „Clan" hat sein eigenes Muster

[5] Sitz des Verbandes ist Worms

[6] Übernachtung mit Frühstück, in ganz Großbritannien verbreitete Form der privaten Unterkunft

[7] Schottisch für „See"; vgl. *Loch Ness*; wird ausgesprochen wie das deutsche Wort „Loch"

[8] Eine Brühe, in der Regel auf Hammelfleisch gekocht

[9] Die Fortsetzung des hierzulande bekannteren „Drei Mann in einem Boot"

[10] Kneipe

[11] „Over the Sea to Skye"

[12] Zapfenstreich

[13] Bands von Dudelsackspielern

[14] engl. hunter = Jäger

[15] engl. rock = Stein, Felsen

[16] engl. holiday = Ferien

Dank

Dieses Buch existiert aufgrund der Anregung von Felicitas und Thea Jung. Ohne sie wäre es weder geschrieben noch veröffentlicht worden. Die Erstere schlug vor, dass ich es schreiben solle, und als ich einmal angefangen hatte, ermutigte die Letztere mich, damit fortzufahren. Dafür und noch wichtiger, dafür dass sie mich aus dem Schaukelstuhl aufgescheucht haben, in dem ich seit dem Tode meiner in Deutschland geborenen Frau nach über fünfzig Jahren zusammen dahinvegetiert hatte, danke ich ihrer lebenslangen Freundin Thea und ihrer Tochter Felicitas.

Olu Oke danke ich für ihre kongenialen Illustrationen. Mein Dank gilt auch Suzie Weigert, einer Reiseführerin für deutsche Besuchergruppen in Edinburgh, und den Schaukelstuhl-Gefährten Elizabeth Sneddon und Lamond Allan, die das englische Manuskript lasen und wertvolle Kommentare abgaben, von denen ich mich anregen ließ. Schließlich auch einer ,Mit-Achtzigerin', Dorothy Minck, einer Expertin in Schottisch, Englisch und Deutsch (was sie bestreitet), die jedoch das Wort „Schaukelstuhl" in keiner Sprache kennt.

Das Titelbild zeigt Dudelsackpfeifer Robin Patrick, ein Mitglied der *Rothesay and District Pipe Band*, auf der Isle of Bute. Bute ist im Hintergrund. Alan Thomson von Rothesay, der das Originalfoto aufnahm, hat freundlicherweise die Erlaubnis zu seinem Gebrauch gegeben.

Der Autor

Alf Gracie ist Schotte, 1920 in Glasgow geboren. Drei Jahren als Büroangestellter im Hafenamt folgten sechs im Kriegsdienst, welcher in Schleswig endete, wo er einer jungen Journalistin aus Ostpreußen begegnete, die er später heiratete. Bei der Entlassung aus der Armee 1946 wollte er Hoch- und Tiefbau studieren, hatte aber nicht die finanziellen Mittel dazu. Er arbeitete unter Tage als Bergarbeiter im Ölschiefer-Abbau und dann fünf Jahre lang als Kohlenbergmann, bevor ihm ein Stipendium eingeräumt wurde, um Bergbau an der Universität von Glasgow zu studieren, wo er 1954 sein Diplom machte. Nach zehn Jahren als Ingenieur im Tunnelbau in Schottland verbrachte er zwanzig in England als Lektor, setzte sich 1984 zur Ruhe und kehrte mit seiner Frau nach Schottland zurück. Vor diesem Buch verfasste und veröffentlichte er ausschließlich Schriften, die sich mit komplexen Problemen der Minenbelüftung befassten.

Die Illustratorin

Olu Oke, 1978 in England als Kind nigerianischer Eltern geboren, ist die jüngste von drei Schwestern. Sie wuchs in London auf und begann dort an der *Wimbledon School of Art* Kunst und Design zu studieren. Für drei Jahre ging sie in den Norden in die (von ihr so genannte) schöne Stadt Edinburgh, wo sie sich am *Edinburgh College of Art* auf Illustration spezialisierte. Im Juni 2000 machte sie ihren Abschluss. Seit ihrer Rückkehr nach London arbeitet sie als freie Illustratorin.

Anhang

Dudelsack-Bands in Deutschland

Alba Pipe Band, Eoin A. M. Ashford, Klingenbergstr. 51,
31139 Hildesheim, Tel. 05121/47785
Alzey & District Pipe Band, Stefan Bender, Eichenweg 1,
55234 Flomborn, Tel. 06735/1293
Badelonian Pipe Band, Andy Fluck, Vorholtzstr. 36, 76137 Karlsruhe, Tel.
0721/3844225, email: Andy.Ute@t-online.de
Bavarian Pipers, Bernd Antropius, Postfach 110141, 93014 Regensburg,
Tel. 09441/80202
Ben Lomond Pipes and Drums, Steven Granger, Riegelstr. 1,
85256 Vierkirchen, Tel. 08139/1303
Baul Muluy Pipe Band Hamburg, Hans Grothusen, Heidmühlenweg 140,
25337 Elmshorn, Tel./Fax 04121/94887, email: info@baulmuluy.de
Berlin Thistles Pipes and Drums, Ralf Lämmchen, Oberhofer Weg 47,
12209 Berlin, Tel. 030/7736828, email: Laemmchen6@aol.com
Clan Pipers, Frankfurt and District Pipe Band, Mark Schwerzel,
Affentorplatz 18, 60594 Frankfurt/Main, Tel. 069/61992610
Cologne Caledonian Pipe Band, Ralf Eil, ccpb@freenet.de,
Uli Klinkhammer, Pipeband@freenet.de
Crest of Gordon, City of Bremen Pipes and Drums, Holger Schulz,
Pappelstr. 34, 27239 Twistringen, Tel. 04243/1264,
email: kontakt@crest-of-gordon.de
Caverhill Guardians Pipes & Drums e.V., Michael Hermann,
In der Aub 1, 78078 Kappel, Tel. 07728/1707
The City of Nuernberg Pipes & Drums, James Shaffar, Coburger Str. 46,
90522 Oberasbach, Tel. 0172-8629544,
email: james.shaffar@planet-interkom.de
Claymore Pipes and Drums, Andy Hildenbrand, Alte Gasse 9,
86152 Augsburg, Tel. 0821/155460, email: stefan.rau.coaymore@web.de
Drums and Pipes Dreiborn, Heinz Lenzen, Auf der Schlad 1,
52156 Monschau
Dudeldorf Lion Pipes & Drums, Thomas Reuter, Kapellenstr. 3a,
54647 Dudeldorf, email: dudeldorflion@yahoo.de
Ehinger Pipes & Drums, D. Ian Cameron, Altsteußlinger Str. 81,
89584 Ehingen, Tel. 07391/54761
Glencoe Highlanders, Dr. René Jeannès, Am Wettberg 22a,
58452 Witten-Bommern
Glentrop Pipes and Drums, Duncan McClurg,
mailto:mcclurg@debitel.net, Tel. 02937/827147

Highland Pipes and Drums of Waldsee, Michael Baumeister, Bahnhofstr. 9, 88339 Bad Waldsee, Tel. 07524/7171

Happy German Bagpipers, Falk Paulat, Middelreeg 8, 26349 Jade, email: hg-bagpipers@directbox.com

Heather & District Pipe Band, Christoph Kresse, Kieler Str. 40, 22769 Hamburg, Tel. 040/868614

Hochland Heistern, Peter Dohmen, Weisweilerstr. 11, 52379 Langerwehe/Heister

Kochen Clan Pipe Band, Holger Weidner, Egerlandstr. 62, 73431 Aalen, Tel. 07361/33317

MacLeod Pipes and Drums, Achim Grompe, Vorhelmer Str. 53, 59269 Beckum, email: wolfmen@planet-nterkom.de

Mountain-Pipers Tiefenthal, Axel Pieck, Herrnsheimer Hauptstr. 16, 67550 Worms, email: QoHighl@aol.com

Odenwald Pipes & Drums, Im Alten Garten 15, 64753 Brombachtal, Tel. 06063/5524, email: Dieter.Weichel@math.uni-giessen.de

Onion Pipers and Drums, Karlheinz Feldmann, Schöneweibergasse 54, 64347 Griesheim, Tel. 0177/6739548

Owl Town Pipe & Drum Band, Hans-Günther Brennecke, Trentelmoorweg 14, 31228 Peine/Stederdorf

Original Royal-Sulgemer-Crown-Swamp-Pipers, G. Hucky Haggenmiller, Scheuergasse 10, 88348 Saugau, Tel. 07581/7006

Pipes & Drums Bielefeld, Klaus Becker, Schweriner Str. 7, 32832 Augustdorf, Tel. 05237/1462

Pipes & Drums of Brunswiek, Uwe Frank, Sandgrubenweg 69, 38126 Braunschweig, Tel. 0531/67634, email: Manager@Brunswiek-Pipers.de

Pipes & Drums of Diepenau, Hans-Jürgen Harting, Bahlenstr. 38, 31603 Diepenau, Tel. 05775/454, email: kontakt@thepipes.de

Pipes & Drums Blue And Red, Stefan Völker, Wiegandstr. 5, 70439 Stuttgart

Pipes and Drums of Cherry Town, Hannelore Harder-Kasten, Fliederweg 5, 37213 Witzenhausen, Tel. 05542/2579

Rhine Area Pipes and Drums Düsseldorf, Tim Lethen, Corneliusplatz 7, 47798 Krefeld

Rock Pipe Schwoba, Jürgen Hänle, Uhlandstr. 6, 73453 Abtsgmünd-Hohenstedt, Tel./Fax: 07366/4838

Sank Gangolf Pipes & Drums, Peter Thut, Hofstr. 208, 67827 Gangloff, Tel. 06364/1842

1st. Sauerland Pipes and Drums, Michael Baudzus, Kniestr. 5A, 44879 Bochum, Tel. 0234/411634

Scottish Drum Corps Darmstadt, Bert Anhalt, Scheftheimer Weg 2, 64287 Darmstadt, Tel. 06151/48424
Strasser Garde, Michael Eichinger, Bussardweg 22, 69123 Heidelberg, Tel. 06221/779077, email: MadEichi@aol.com
The Ben Heegen Highlanders, c/o Gerno Gebhardt, Ziegenberg 2, 37217 Witzenhausen/Ziegenhagen, Tel. 05545/1503
The Hohenlohe Highlanders, c/o Reinhard Herrmann, Talstr. 8, 74549 Wolpertshausen, Tel. 07907/941111,
email: hardy_herrmann@t-online.de
Three Lilies Pipes & Drums, Peter Fuchs, Dotzheimer Str. 119, 65197 Wiesbaden, Tel. 0611/7167410, email: Bagpipefox@aol.com
Thistle Pipers, Jörg Ramforth, Hauptstr. 95, 69242 Mühlhausen, Tel. 06222/60898
Targe of Gordon e.V., Georg Mahr, Kämmerzeller Str. 23, 36041 Fulda, Tel. 0661/55821
Unicorn Pipes & Drums, Jürgen Munz, Waldstr. 17, 73568 Durlangen
Weilerswist and District Pipe Band, Ralf Granrath, Bachstr. 5a, 53919 Weilerswist, Tel. 02254/6159, Fax: 02254/1808

Besuchen Sie uns im Internet:
http://www.kleinerbachmann.de